Y0-CAN-550

UNA ARQUITECTURA DE ANTICIPACION

EDICIONES POLIGRAFA, S. A.

Juan Perucho

UNA ARQUITECTURA DE ANTICIPACION

Fotografías: Leopoldo Pomés

BIBLIOTECA DE ARTE HISPANICO

EDICIONES POLIGRAFA, S. A.
Balmes, 54 - Barcelona-7 (España)

Director de la Colección JUAN PERUCHO
Maqueta y compaginación JUAN PEDRAGOSA

 — Depósito Legal: B. 38.098-1967 - Printed in Spain

Sumario

Gaudí

Contents

Sommaire

Inhalt

LA VERDADERA
SILUETA
NACE
DE LA PROPIA
ESTRUCTURA

Gaudí

THE TRUE
SILHOUETTE
IS BORN OF THE
STRUCTURE
ITSELF

Gaudí

LA VRAIE
SILHOUETTE
NAÎT
DE LA PROPRE
STRUCTURE

Gaudí

DIE WIRKLICHE
SILHOUETTE
WIRD AUS DER
STRUKTUR
SELBST GEFORMT

Gaudí

Un tan prodigioso despliegue de formas como el que desarrolló el arquitecto catalán Antonio Gaudí durante su apasionada e intensa actividad, provocó en el mundo un criterio que, si bien era justo al tenerlo como un creador de una singular expresividad plástica, se equivocaba, sin embargo, al desmerecerlo como genio arquitectónico. Se incidía en el carácter «visionario» de su arquitectura, como si fuera el único fruto de una sensibilidad exaltada, pero se advertía seguidamente un exceso en tal sensibilidad, algo que chocaba con el orden de valores establecido y que sólo, en nuestros días, sería considerado progresivamente como una rara anticipación del gusto actual. Tal criterio silenciaba la singularidad de Gaudí en el aspecto arquitectónico, la excepcional validez de sus concepciones téc-

Such a prodigious display of forms as that achieved by the Catalan architect Antonio Gaudí in the course of his intense and passionate career drew from the world a judgment which, though just in considering him as an artist endowed with singular plastic expressiveness, was nevertheless mistaken in disregarding him as an architectural genius. The critics dwelt on the «visionary» character of his architecture, as if it were the only fruit of an extreme sensitivity, but went on to point out a certain excess in this sensitivity, something which clashed with the established order of values and which only in our own days would be progressively considered as a rare anticipation of contemporary taste. This judgment said nothing about the singularity of Gaudí in the architectural aspect or the exceptional validity of his technical conceptions for

Le déploiement prodigieux de formes qui a accompagné l'activité passionnée et intense de l'architecte catalan Antonio Gaudí l'a fait considérer dans le monde entier, et à juste titre, comme le créateur d'une plastique singulièrement expressive. Il est pourtant malheureux que cela ait empêché certains de reconnaître en lui ce génie de l'architecture qu'il était. On a insisté sur le caractère «visionnaire» de son architecture comme si elle n'était que le fruit d'une sensibilité exaltée mais on dénonçait aussitôt, dans cette sensibilité, une démesure, quelque chose qui allait à l'encontre de l'ordre établi des valeurs, et c'est de nos jours seulement que l'on y a découvert, petit à petit, une surprenante anticipation du goût actuel. Cette façon de voir faisait passer sous silence l'originalité de Gaudí dans

Die aussergewöhnliche Formentfaltung, zu welcher der katalanische Architekt Antonio Gaudí im Laufe seiner leidenschaftlichen, intensiven Tätigkeit gelangte, fand in der Welt eine Beurteilung, die zwar gerecht war, ihn als Schöpfer einer einzigartigen plastischen Expressivität anzuerkennen, jedoch darin irrte, ihn als architektonisches Genie zu verkennen. Hervorgehoben wurde der «visionäre» Charakter seiner Architektur, als wäre dieser das einzige Ergebnis einer gesteigerten Sensibilität, doch wies man sofort auf ein Übermass dieser Sensibilität hin, auf etwas, das gegen die bestehende Wertordnung verstiess und das erst in unserer Zeit allmählich als eine seltene Vorwegnahme des heute herrschenden Geschmacks betrachtet werden sollte. Diese Beurteilung verschwieg die Einzigartigkeit Gaudís in architektonischer Hinsicht,

nicas para el futuro, y lo silenciaba, sin duda, por un radical desconocimiento de la obra de Gaudí, por una falta de aproximación a ella, hasta cierto punto justificable, ya que sólo el tiempo es capaz de dar la medida justa de las cosas.

Pero Gaudí no era un «facteur Chéval», cándida y extrañamente imaginativo, creador de un orden fantástico en el vacío, apto solamente para servir de precedente al surrealismo y movimientos afines. Sin duda, Gaudí merece ser destacado como uno de los precursores de la sensibilidad de nuestros días, operando en una inquietante frontera entre la estructura, la plasticidad y el color. Pero Gaudí es, ante todo, uno de los más grandes creadores de la arquitectura moderna, y lo es, sobre todo, por

the future, and this silence is undoubtedly due to a radical ignorance of Gaudí's work, a failure to approach it which is, to some extent, justifiable, for only time can give us the true measure of things.

But Gaudí was not simply a kind of «facteur Chéval», strangely and ingenuously imaginative, creating a fantastic order in the void, only serving as a precedent for surrealism and kindred movements. Gaudí undoubtedly deserves to be considered one of the forerunners of the sensitivity of our time, operating on a disquieting frontier between structure, plasticity and colour. But Gaudí is, first and foremost, one of the greatest creators in modern architecture and this is principally due to the fecundity and daring efficacy of his solutions and the perfect adaptation of structure to function.

le domaine de l'architecture, la validité exceptionnelle, pour l'avenir, de ses conceptions techniques. On méconnaissait radicalement l'oeuvre de Gaudí, sans doute parce que l'on n'en avait pas approché, ce qui sans doute est bien excusable puisque seul le temps peut nous donner la mesure exacte des choses.

Mais Gaudí n'était pas un «facteur Chéval» à l'imagination candide et bizarre, créateur dans le vide d'un ordre fantastique, bon seulement à fournir un précédent au surréalisme et aux mouvements analogues. Certes, Gaudí mérite bien qu'on le tienne pour un des précurseurs de la sensibilité de notre époque: il a agi sur la frontière inquiétante où la structure, la plasticité et la couleur se rejoignent. Mais

die ausserordentliche Gültigkeit seiner technischen Konzeptionen für die Zukunft. Zweifellos beruhte das Schweigen auf einer völligen Unkenntnis des Gaudíschen Werkes, auf dem Fehlen einer Annäherung, das jedoch bis zu einem bestimmten Grad zu rechtfertigen ist, da nur die Zeit das richtige Mass der Dinge festsetzen kann.

Aber Gaudí war kein «facteur Chéval», nicht auf eine naive und seltsame Art imaginativ, Schöpfer einer phantastischen Ordnung im Leeren, der nur fähig war, dem Surrealismus und ähnlichen Bewegungen als Wegbereiter zu dienen. Gaudí verdient ohne Zweifel, als einer der Vorboten unserer heutigen Sensibilität hervorgehoben zu werden, der sich auf einer beunruhigenden Grenze zwischen Struktur, Plastizität und Farbe bewegt. Aber

1. Techo de masía catalana con el «revoltó».
2. «Volta d'escala» catalana.

1. Roof of Catalan farmhouse, featuring a «revoltó».
2. Catalan «volta d'escala».

1. Toiture de ferme catalane avec le «revoltó».
2. «Volta d'escala» catalane.

1. Dach eines katalanischen Bauernhauses mit dem «revoltó».
2. Katalanische «volta d'escala».

la fecundidad y atrevida eficacia de sus soluciones y por la perfecta adecuación de estructura y función. Es, en realidad, de este maridaje, servido por la visión personal del genio, de donde surge el universo anticipador y fascinante de Antonio Gaudí.

Ha sido necesario el transcurso de los años para que la curiosidad, primero, y el interés, más tarde, suscitaran la valoración y el estudio de esta obra desconcertante. En ello han contribuido, desde el principio, un grupo reducido de fanáticos de Gaudí que, contra viento y marea, han defendido el juego de esta originalísima sensibilidad apoyándola en una concepción de estructuras mecánicas muy propia y efectiva. Poco a poco, este juicio valorativo sobre Gaudí se ha ido imponiendo internacionalmente en-

It is from this union, served by the personal vision of genius, that the anticipatory and fascinating universe of Antonio Gaudí really springs.

Many years were to pass before curiosity at first, and later interest, gave rise to serious appraisal and study of this disconcerting work. The prime movers in this, from the beginning, were a small group of fanatical admirers of Gaudí who have defended against all odds the play of this most original sensitivity, basing it on a very personal and effective conception of mechanical structures. Little by little this appraisal of Gaudí has gained ground internationally among the vastest critical sectors of architectural art, to such an extent that today, when we separate the intrinsic interest of Gaudí's work from the tribute, slight but inevita-

Gaudí est, avant tout, un des plus grands créateurs de l'architecture moderne, surtout à cause de la fécondité et de l'efficacité osée des solutions qu'il donne et par la parfaite correspondance qu'il établit entre la structure et la fonction. C'est en fait de ce mariage, servi par la vision personnelle du génie, que surgit l'univers annonciateur et fascinant d'Antonio Gaudí.

Il a fallu que bien des années se soient écoulées pour que la curiosité d'abord et l'intérêt ensuite s'éveillent, pour que l'on estime cette oeuvre déconcertante et que l'on éprouve le besoin de l'étudier. Dès le début pourtant ce résultat avait été préparé par le petit groupe de fanatiques de Gaudí qui, s'opposant à tout, ont défendu le jeu de cette sensibilité si originale qu'ils voyaient étayée

Gaudí ist in erster Linie einer der grössten Schöpfer der modernen Architektur. Er ist es vor allem auf grund der Fruchtbarkeit und gewagten Wirksamkeit seiner Lösungen sowie durch die vollkommene Entsprechung von struktur und Funktion. Aus dieser engen Verbindung, die der persönlichen Vision des Genies entspringt, geht in Wirklichkeit das zukunftweisende, faszinierende Universum von Antonio Gaudí hervor.

Jahre mussten vergehen, bis zuerst Neugier und später Interesse zur Untersuchung und Wertung dieses bestürzenden Werkes herausforderten. Von Anfang an trug hierzu eine kleine Gruppe von fanatischen Anhängern Gaudís bei, die trotz aller Einwände und Widerstände das Spiel dieser einzigartigen Sensibilität verteidigten, die sie auf eine besondere, wirksame

3 y 4. Dos vistas exteriores de la capilla de la Colonia Güell en Santa Coloma de Cervelló.

3 & 4. Two exterior views of the chapel of the Güell Colony in Santa Coloma de Cervelló.

3

3 et 4. Deux vues extérieures de la chapelle de la Colonie Güell à Santa Coloma de Cervelló.

3 und 4. Zwei Aussenansichten der Kapelle in der Kolonie Güell. Santa Coloma de Cervelló.

d'une conception très juste et très effective des structures mécaniques. Petit à petit ce jugement favorable qu'ils portaient sur Gaudí s'est imposé largement dans les milieux internationaux de la critique de l'architecture. Aujourd'hui, ayant appris à séparer l'intérêt de l'oeuvre de Gaudí en elle-même du tribut, maigre mais inévitable, qu'il a dû payer au goût de son époque, nous y voyons l'une des formules les plus décisives de l'art de notre siècle ou, ainsi que le disent James Johnson Sweeney et José Luis Sert, un «exemple d'intégrité structurale» offert à l'architecture d'aujourd'hui. Selon Gaudí lui-même, tout se borne peut-être à «savoir si une chose doit être plus haute ou plus basse, plus plate ou plus courbée. Ce n'est qu'un don de voyance et moi,

Konzeption von mechanischen Strukturen stützten. Nach und nach hat dieses Werturteil über Gaudí international in weitesten Kreisen von Kritikern der Architektur an Gewicht gewonnen, bis dass uns heute das Gaudísche Werk, nach Abgrenzung des ihm wesenseigenen Interesses gegen den Tribut, den es in geringem Masse, aber doch unvermeidlich dem damaligen Zeitgeschmack zollen musste, als eine der entscheidendsten Formulierungen der Kunst dieses Jahrhunderts erscheint, oder, wie James Johnson Sweeney und José Luis Sert es ausdrücken, als ein «Beispiel struktureller Einheitlichkeit» für die Architektur der Gegenwart. Laut Gaudís eigener Aussage konnte vielleicht alles darin zusammengefasst werden, «genau zu wissen, ob etwas höher oder niedriger sein muss, flacher oder gewölbter. Es ist nicht mehr als die Gabe

5. Adecuación al paisaje de la arquitectura de Gaudí en la capilla de la Colonia Güell.
6. Muro y tragaluces exteriores de la capilla de la Colonia Güell.
7. Colonia Güell. Detalle del pórtico de la cripta.

5. *Integration in the surrounding landscape of Gaudí's architecture, as seen in the chapel of the Güell Colony.*
6. *Wall and exterior skylights in the chapel of the Güell Colony.*
7. *Güell Colony. Detail of the portico of the crypt.*

4

5. Adaptation au paysage de l'architecture de Gaudí dans la chapelle de la Colonie Güell.
6. Mur et lucarnes extérieures de la chapelle de la Colonie Güell.
7. Colonie Güell. Détail du porche de la crypte.

5. *Anpassung der Gaudíschen Architektur an die Landschaft - Kapelle der Kolonie Güell.*
6. *Mauer und Aussenfenster der Kapelle in der Kolonie Güell.*
7. *Kolonie Güell. Detail der Vorhalle zur Krypta.*

par bonheur, je vois. Je n'y peux rien.» Il voyait par intuition, c'est vrai; mais son expérimentation allait plus loin que son intuition, et sa technique surgissait d'un sens de la responsabilité, de l'observation et de la méditation. Une grande partie de ses effets expressifs, saisissants et mystérieux, une grande partie des chimères qu'il réalisait plastiquement surgissaient —et c'est bien là ce qui le rend intéressant pour l'architecte d'aujourd'hui— comme des dérivations de ses innovations techniques. C'est-à-dire que l'effet ornemental ou symbolique n'était point le souci primordial ou la préoccupation de cet artiste et qu'il ne lui subordonnait point la vie de ses structures. Son attitude était l'opposée. C'était la structure, telle qu'il la voyait et telle qu'il la croyait nécessaire, qui, selon lui, entraînait,

des Sehens, und ich sehe es zum Glück. Daran kann ich nichts ändern».

Gewiss, er sah intuitiv, aber seine Experimente gingen über seine Intuition hinaus, und seine Technik entsprang dem Sinn für Verantwortung, Beobachtung und Meditation. Ein grosser Teil seiner überraschenden und geheimnisvollen expressiven Wirkungen, viele seiner phantastischen plastischen Realitäten ergaben sich —und gerade hierdurch wird er vom Standpunkt der heutigen Architektur aus interessant— als Ableitung aus seinen technischen Neuerungen. Dies bedeutet, dass es nicht die ornamentale oder symbolische Wirkung war, die den Künstler in erster Linie beschäftigte und leitete und der er seine Strukturen unterordnete, sondern umgekehrt: die Struktur, so wie er sie sah und als notwendig verstand, bestimmte als

6

7

8 y 9. Colonia Güell. Detalle de las bóvedas de la cripta.

8 & 9. Güell Colony. Detail of the vaults of the crypt.

8 et 9. Colonie Güell. Détail des voûtes de la crypte.

8 und 9. Kolonie Güell. Detail des Kryptagewölbes.

9

10. Detalle. Texturas de las bóvedas de la capilla de la Colonia Güell.

10. Detail of the textures in the vaults of the chapel of the Güell Colony.

10

10. Détail. Textures des voûtes de la chapelle de la Colonie Güell.

10. Detail der Gewölbestrukturen in der Kapelle der Kolonie Güell.

par-dessus le marché, son expressivité exceptionnelle. L'inspiration mécanique de Gaudí contribuait donc à créer son répertoire morphologique. Ce n'est qu'à partir de ce moment-là qu'intervenait le sens décoratif de Gaudí, si particulier, et ses étonnantes innovations ornementales.

Bien que son oeuvre soit considérée un ferment révulsif, Antonio Gaudí était très dévot de la tradition. Sa technique s'inspire dans la tradition de son terroir, de ce pays méditerranéen qu'est la Catalogne, et elle en tire des conséquences décisives pour son art. C'est en effet la voûte catalane qui inspire la mécanique de Gaudí. La «volta d'escala» et le «revoltó» sont des voûtes de tradition artisanale, très anciennes en Catalogne, constituées par

Ergänzung seine aussergewöhnliche Expressivität. Die mechanische Inspiration Gaudís trug infolgedessen zur Schaffung seines morphologischen Repertoires bei. Erst von diesem Augenblick an traten der besondere Sinn Gaudís für das Dekorative, seine verblüffenden ornamentalen Neuerungen auf den Plan.

Obgleich sein Werk als ableitendes Ferment betrachtet wurde, war Antonio Gaudí ganz der Tradition verhaftet. Seine Technik schöpft aus der Tradition seiner Heimat, dieses mittelmeerischen Landes Katalonien, von dem er Impulse empfängt, die für seine Kunst entscheidend sind. Das katalanische Gewölbe inspiriert die Mechanik Gaudís. Die «volta d'escala» und der «revoltó» sind Gewölbe mit ältester handwerklicher Tradition in Katalonien, gebildet aus zwei oder drei über-

tre los más vastos sectores críticos del arte arquitectónico hasta que, separado el interés intrínseco de la obra gaudiniana del tributo que hubo ésta de pagar, escasa pero inevitablemente, al gusto de la época, se nos aparece ahora como una de las más decisivas formulaciones del arte de este siglo o, como dicen James Johnson Sweeney y José Luis Sert, como una «ejemplificación de integridad estructural» que se ofrece a la arquitectura de hoy. Según el propio Gaudí, todo ello quizá lograba resumirse en un «saber exactamente si una cosa ha de ser alta o más baja, más plana o más curvada. Esto no es más que una cualidad de videncia y yo, por suerte, lo veo. No puedo hacerle nada».

Lo veía intuitivamente, es cierto; pero su experimentación iba más allá de su

ble, which it had to render to the taste of the period, we can see that it was one of the most decisive formulations of art in this century or, in the words of James Johnson Sweeney and José Luis Sert, «an exemplification of structural integrity» offered to contemporary architecture. According to Gaudí himself, all of this might perhaps be summed up as «knowing exactly whether a thing should be higher or lower, flatter or more curved. This is nothing more than a quality of clearsightedness and I, fortunately, can see things clearly. I cannot help it».

It is certainly true that he possessed intuitive vision; but his experimentation went beyond his intuition and his technique was born of a sense of responsibility, observation and meditation. A great part of his startling and mysterious expressive

des briques légères et de peu d'épaisseur, superposées en deux ou trois couches et unies par des joints de mortier. Ces briques sont appelées «rajoles». Le profil de ces parois en voûte est exactement celui d'une parabole ou caténaire inversée, la caténaire étant la courbe que décrit une chaîne lorsqu'elle est suspendue par ses deux bouts. Si nous faisons tourner de 180° le plan qui la contient nous obtiendrons le profil de la voûte catalane. La résistance en est énorme. Les spécialistes ont beaucoup réfléchi sur la résistance de ces voûtes qu'ils ont comparée aux ressorts d'une arbalète. Santiago Rubió nous dit que «la stabilité de ces voûtes-coquille sans armature provient de leur forme qui matérialise la surface qui est le lieu géométrique de la famille des courbes de pression qui se déve-

einanderliegenden Schichten von leichten, nicht sehr dicken Backsteinen, die durch Mörtelfugen verbunden sind. Diese Backsteine werden «rajoles» genannt. Das Profil dieser verschalten Gewölbe ist genau das einer Parabel oder umgekehrten Kettenlinie, wobei wir unter Kettenlinie die Gleichgewichtskurve verstehen, die wir durch eine an ihren Endpunkten aufgehängte Kette erhalten. Drehen wir die von ihr umschlossene Fläche um 180°, so erhalten wir das Profil des katalanischen Gewölbes. Sein Widerstand ist enorm. Fachleute haben sich eingehend mit der Festigkeit dieser Gewölbe beschäftigt und sie mit der Spannkraft der Armbrust verglichen. Santiago Rubió erklärt uns, dass die «Stabilität dieser Gewölbe —Schalen ohne Gerüst— ihrer Form zuzuschreiben ist, welche die Oberfläche, d. h. einen geometrischen Ort aus der

intuición, y su técnica surgía de un sentido de la responsabilidad, de la observación y de la meditación. Buena parte de sus sobrecogedores y misteriosos efectos expresivos, buena parte de sus quiméricas realidades plásticas, surgían —y esto es lo que le hace interesante desde el punto de vista de la arquitectura de hoy— como derivación de sus innovaciones técnicas. Es decir, no era el efecto ornamental o simbólico el que mediatizaba y preocupaba primordialmente al artista, supeditando a tal preocupación la vida de sus estructuras, sino al revés; la estructura, tal como él la veía y entendía necesaria, era la que determinaba, por añadidura, su excepcional expresividad. La inspiración mecánica de Gaudí contribuía, por consiguiente, a crear su repertorio morfológico. Sólo a partir de este ins-

effects, as well as many of his chimerical plastic realities, came about —and it is this that makes him so interesting from the point of view of contemporary architecture— as derivations from his technical innovations. By this I mean that it was not the ornamental or symbolic effect which was the principal impulse or concern of the artist, this concern being given pride of place over the life of his structures, but rather the reverse; it was structure, according to the way in which he saw it and understood its necessity, that determined, as a secondary consideration, his exceptional expressiveness. The mechanical inspiration of Gaudí contributed, therefore, to the creation of his morphological repertoire. It is only from this moment that we see the intervention of Gaudí's peculiar decorative sense, his astounding ornamental innovations.

loppent le long de la structure». Leur sécurité est telle que, dans certaines circonstances, l'on néglige même de les soutenir et que l'on y omet quelque point d'appui.

Antonio Gaudí a adopté et développé l'idée de la caténaire, de l'arc parabolique. Il fut amené à cela par un processus d'observation des techniques artisanales auxquelles il était habitué depuis son enfance, car son père était chaudronnier. «Je possède la vertu de voir l'espace, parce que je suis le fils, le petit-fils et l'arrière-petit-fils de chaudronniers», disait Gaudí, et il ajoutait que c'était à son passage par la «chaudronnerie» de son père qu'il devait le fait d'être architecte. Le caractère tangible et immédiat des procédés artisanaux le fit s'écarter de la table de

Familie der sich in der Struktur entwikkelnden Druckkurven, materialisiert». Ihre Sicherheit ist so gross, dass in bestimmten Fällen sogar auf die Stütze verzichtet wird und ein Gewölbeanfang frei schwebt.

Antonio Gaudí machte sich die Idee der Kettenlinie, des parabolischen Bogens zu eigen und entwickelte sie durch Beobachtung der ihm von Kind an vertrauten handwerklichen Techniken, denn sein Vater war Kesselschmied. «Ich habe die Gabe, den Raum zu sehen, weil ich der Sohn, Enkel und Urenkel von Kesselschmieden bin» sagte Gaudí und fügte hinzu, dass er Architekt geworden sei, weil er die «Kesselschmiede» seines Vaters passiert habe. Die Nähe und Unmittelbarkeit der handwerklichen Methoden führten ihn vom Zeichentisch weg und

tante, intervenía el peculiar sentido decorativo de Gaudí, sus asombrosas innovaciones ornamentales.

Pese a la consideración de su obra como fermento revulsivo, Antonio Gaudí era un gran devoto de la tradición. Su técnica se inspira en la tradición de su tierra, de este país mediterráneo que es Cataluña, y saca de ella consecuencias decisivas para su arte. En efecto, es la bóveda catalana lo que inspira la mecánica de Gaudí. La «volta d'escala» y el «revoltó» son bóvedas de tradición artesana, antiquísimas en Cataluña, formadas por ladrillos de poco peso y espesor, en dos o tres capas superpuestas y unidas por juntas de mortero. Estos ladrillos son llamados «rajoles». El perfil de estas bóvedas tabicadas es exactamente el de una parábola o catenaria

In spite of his work being considered as a revulsive ferment, Antonio Gaudí was a great upholder of tradition. His technique was inspired in the tradition of his homeland, that Mediterranean region which is Catalonia, and from it he drew consequences which were to be decisive for his art. It was the Catalan vault, in fact, which inspired the mechanics of Gaudí. The «volta d'escala» and the «revoltó» are vaults in an extremely ancient tradition of craftsmanship in Catalonia, formed by light, thin tiles, superimposed in two or three layers and joined together with mortar. These tiles are called «rajoles». The cross section of these partitioned vaults is exactly that of an inverted parabola or catenary, catenary being taken to mean the curve of equilibrium which is obtained with a chain when we suspend it by its ends. If we make the

dessin pour travailler sur des modèles à échelle et, bien souvent, en improvisant sur le terrain. L'on connaît —et c'est certainement un détail frappant— les ficelles qu'il accrochait au toit de son studio avec, au bout, des petits sacs dont les poids étaient proportionnels à ceux que devrait soutenir la structure qu'il était en train d'étudier. On a parfois souri des méthodes «funiculaires» de Gaudí. A son époque, bien des gens connaissaient les vers où le poète Josep Carner fait allusion à cette façon de travailler de Gaudí:

> «*Il a fait maintenant la maquette*
> *d'une église très coquette.*
> *Le temple et chaque autel*
> *sont tous en gros fil*».

Né au Camp de Tarragone, comme son compatriote Joan Miró, et comme lui

leiteten ihn an, mit massstabsgetreuen Modellen zu arbeiten; oft improvisierte er auch auf der Baustelle. Berühmt und sehr effektvoll sind die von der Decke seines Ateliers herabhängenden Drähte, an die Säcke geknüpft waren, deren Gewicht sich proportional zu den von der analysierten Struktur zu tragenden Lasten verhielt. Die Drahtmodelle Gaudís erregten zuweilen Lächeln; sehr bekannt waren zu jener Zeit die Verse des Dichters Josep Carner, die Gaudís Arbeitsmethoden zum Inhalt haben:

> «Nun hat er das Modell gemacht
> von einer Kirche, gut durchdacht;
> der ganze Bau und jeder Altar
> bestehen aus Drähten,
> fein wie ein Haar.»

Antonio Gaudí entstammte dem Camp de Tarragona, wie sein Landsmann Joan

invertida, entendiendo por catenaria la curva de equilibrio que se obtiene con una cadena cuando la suspendemos por sus extremos. Si hacemos girar el plano que la contiene en 180° obtendremos el perfil de la bóveda catalana. Su resistencia es enorme. Los especialistas han meditado mucho sobre la resistencia de estas bóvedas, habiéndolas comparado al resorte de las ballestas, y Santiago Rubió nos dice que la «estabilidad de estas bóvedas-cáscara sin armadura, se debe a su forma, que materializa la superficie, lugar geométrico de la familia de curvas de presiones que se desarrollan a lo largo de la estructura». Es tal su seguridad que, en determinadas circunstancias, se prescinde incluso del apoyo, dejando suspendido algún arranque de la bóveda.

plane containing it turn round by 180°, we shall obtain the cross section of the Catalan vault. Its resistance is enormous. Specialists have meditated on the resistance of these curves for a long time, and have compared them to carriage springs, and Santiago Rubió tells us that «the stability of these unreinforced shell-vaults is a result of their form, which materializes the surface, the geometric locus of the family of pressure curves which are developed throughout the structure». Their stability is such that, in certain circumstances, they can even do without the support, leaving some of the vault springers in suspension.

Antonio Gaudí adopted and developed the idea of the catenary, of the parabolic arch. He did so through a process of observation of the craft techniques to

11, 12, 14 y 17. Vidrieras en color de los tragaluces. Santa Coloma de Cervelló.
13. Interior de la capilla de la Colonia Güell con sus columnas inclinadas de aspecto bárbaro y grandioso.
15, 16 y 18 al 26. Aspecto de las nervaturas de las bóvedas. Colonia Güell.

11, 12, 14 & 17. Coloured panes of the skylights. Santa Coloma de Cervelló.
13. Interior of the chapel of the Güell Colony, with its sloping columns in all their barbaric grandeur.
15, 16 & 18-26. Aspects of the vault ribbing. Güell Colony.

14

15

11, 12, 14 et 17. Vitraux en couleur des lucarnes, Santa Coloma de Cervelló.
13. Intérieur de la chapelle de la Colonie Güell, avec ses colonnes inclinées d'aspect barbare et grandiose.
15, 16 et 18 à 26. Aspect des nervures des voûtes. Colonie Güell.

11, 12, 14 und 17. Farbige Glasfenster. Santa Coloma de Cervelló.
13. Innenansicht der Kapelle der Kolonie Güell mit ihren geneigten Säulen von barbarischer, grandioser Ausdruckskraft.
15, 16 und 18 bis 26. Gewölberippen. Kolonie Güell.

19

amoureux de la nature, Antonio Gaudí en a fait l'objet d'une observation minutieuse et il en a tiré les lois qui la configurent organiquement. A ce sujet, Roberto Pane a pu affirmer naguère: «Gaudí non imita la natura, ma ne rifá il cammino». L'imagination de Gaudí, étroitement liée a sa technique, travaillait sur ces lois et poussait son génie créateur vers des solutions fantastiques qui faisaient présager une beauté nouvelle. En partant de ce qui dans la nature est organique, Gaudí parvenait à concevoir des structures fonctionnelles qui jamais auparavant n'avaient été réalisées et qui nous semblent aujourd'hui bien de notre temps. Tel est le cas, par exemple, de ses colonnes-arbres, résolues avec des hélicoïdes et constituées, d'après Quintana, «par un polygone régulier ou irrégulier, convexe

Miró, und gleich diesem war er der Natur eng verbunden. Er bezog sie auf das genaueste in seine Untersuchungen ein und entnahm ihr die Gesetze des organischen Aufbaus. In dieser Beziehung konnte Roberto Pane kürzlich bestätigen, dass «Gaudí non imita la natura, ma ne rifá il cammino». Die Imagination Gaudís, eng verbunden mit der Technik, bewegte sich auf diesen Gesetzen und führte seinen schöpferischen Geist zu phantastischen, eine neue Schönheit ankündigenden Lösungen. Ausgehend vom Organischen der Natur gelang es Gaudí, funktionale Strukturen zu entwerfen, die niemals zuvor verwirklicht worden waren, die uns heute jedoch ganz zeitgemäss erscheinen. So zum Beispiel seine Baum-Säulen, die in Schneckenlinien aufgebaut sind und, laut Quintana, gebildet werden «durch ein regelmässiges oder

21

ou étoilé, lequel, à mesure qu'il glisse le long de la colonne, tourne simultanément vers la droite et vers la gauche, selon des lois de révolution préalablement établies. Chaque côté du polygone décrit, naturellement, une hélicoïde de plan directeur et, partant, la colonne est finalement constituée par autant d'hélicoïdes que le polygone générateur a de côtés». Selon Sartoris, Gaudí a donné à l'architecture une liberté de composition totale grâce à ses déductions de l'ellipse et de l'arc parabolique, à ses surfaces hélicoïdales, à ses formes gauchies et en spirale, à ses structures ondulées et à ses voûtes à section parabolique. C'est ainsi que tout un monde de formes mécaniques se déploie à nos yeux avec un système structural de piliers, de nervures, de voûtes et de colonnes inclinées, dont

unregelmässiges, konvexes oder sternartiges Vieleck, das in dem Masse, wie es an der Säule entlangläuft, sich nach vorher festgelegten Drehgesetzen gleichzeitig nach rechts und nach links dreht. Jede Seite des Vielecks beschreibt natürlich eine Schneckenlinie mit leitender Fläche, und die Säule wird daher aus der gleichen Zahl von Schneckenlinien gebildet, wie das erzeugende Vieleck Seiten hat.» Laut Sartoris verdankt die Architektur Gaudí eine völlige Freiheit der Komposition dank seiner Ableitungen aus der Ellipse, dem parabolischen Bogen, schraubenförmigen Oberflächen, gewundenen und spiralartigen Formen, wellenförmigen Strukturen und Kuppeln mit parabolischem Schnitt. So entfaltet sich vor unseren Augen eine Welt mechanischer Formen mit einem strukturellen System von Pfeilern, Rippen, Gewölben und ge-

les formes organiques répondent bien souvent d'une façon admirable au paysage environnant; il devient ainsi un bois de plus parmi les grands bois de pins, ou un insecte vivant et monstrueux caché dans les hauts fourrés caressés par le vent.

Tout cela est particulièrement visible dans l'église de la Colonie Güell (1898-1914), un ouvrage inachevé de Gaudí. Les espaces intérieurs y créent le climat d'une expressivité dramatique, étouffante, rude et mystérieuse. Nous sommes face au geste révolutionnaire. Sur le schéma d'un polygone «funiculaire», Gaudí dresse le corps de ses formes magiques, et cela en pierre, en brique et en basalte, avec des voûtes tracées selon une paraboloïde hyperbolique et ces colonnes penchées qu'il est le pre-

neigten Säulen, deren organischer Aufbau sich oft auf bewundernswerte Weise mit der sie umgebenden Landschaft verbindet —inmitten der weiten Pinienwälder entsteht ein neuer Wald, oder ein lebendiges, ungeheuerliches Insekt versteckt sich im hohen, windumspielten Gesträuch.

Besonders sichtbar werden diese Erscheinungen in der Kirche der Siedlung Güell (1898-1914), ein unvollendetes Werk Gaudís. Ihre Innenräume haben eine dramatische, atemberaubende, ungebärdige und geheimnisvolle Ausdrucksfülle. Wir stehen vor dem Revolutionären. Auf dem Drahtmodell eines Vielecks errichtet Gaudí den Körper seiner magischen Formen —aus Stein, Ziegel und Basalt, mit Gewölben in Form von hyperbolischen Paraboloiden und schräggestellten, der Projektion der Drahtlinien folgenden Säulen,

24

27. Interior de la capilla de la Colonia Güell. Santa Coloma de Cervelló.
28. Detalle de las columnas, toscamente talladas, de la capilla de la Colonia Güell.
29. Maqueta funicular de Antonio Gaudí.

27. Interior of the chapel of the Güell Colony. Santa Coloma de Cervelló.
28. Detail of the columns, roughly carved, in the chapel of the Güell Colony.
29. Funicular mock-up, by Antonio Gaudí.

Antonio Gaudí adoptó y desarrolló la idea de la catenaria, del arco parabólico. Lo hizo por un proceso de observación de las técnicas artesanales a las que estaba acostumbrado desde niño, puesto que su padre era calderero. «Yo poseo la virtud de ver el espacio, porque soy hijo, nieto y biznieto de caldereros», decía Gaudí, añadiendo que si él era arquitecto se debía al hecho de haber pasado por la «calderería» de su padre. La tangibilidad e inmediatez de los procedimientos artesanales le hizo alejarse de la mesa de dibujo y trabajar con modelos a escala e improvisando, muchas veces, sobre el terreno. Son famosos, y de un gran efecto, sus hilos suspendidos del techo de su estudio, cargados con saquitos cuyo peso es proporcional a los que debería soportar la estructura que está analizando.

which he had been accustomed since childhood, for his father was a boilermaker. «I possess the gift of seeing space because I am the son, grandson and great-grandson of boilermakers», Gaudí used to say, adding that if he was an architect it was due to the fact that he had been so familiar with his father's «boiler shop». The tangibility and immediacy of the procedures of the craftsman led him away from the drawing board and induced him to work with scale models, frequently improvising on the very building site. Everyone knows the great effect caused by the cords hanging from the ceiling of his studio, with sacks at the ends carrying weights proportional to those which were to be supported by the structure under analysis. Gaudí's funicular methods sometimes gave rise to smiles, and very well-known in their

27. Intérieur de la chapelle de la Colonie Güell. Santa Coloma de Cervelló.
28. Détail des colonnes, grossièrement taillées, de la chapelle de la Colonie Güell.
29. Maquette funiculaire d'Antonio Gaudí.

27. Innenansicht der Kapelle in der Kolonie Güell. Santa Coloma de Cervelló.
28. Detail der rauh behauenen Säulen in der Kapelle der Kolonie Güell.
29. Drahtmodell, entworfen von Antonio Gaudí.

mier à employer et qui suivent la projection des lignes « funiculaires». Gaudí résout le problème des forces en mettant les éléments architecturaux au service de la fonction mécanique qu'ils accomplissent. La synthèse de toutes ses conceptions et de tous ses essais le fera aboutir au projet de la couverture de la Sagrada Familia.

L'on estime que le temple de la Sainte Famille, dont la construction a été entreprise en 1883, fut conçu par Gaudí avec le dessein de remédier aux défauts structuraux de l'architecture gothique. Gaudí a vu, en effet, que la formule gothique ne résout pas le problème de la poussée des arcs et des voûtes; dans la Sagrada Familia, il a obtenu, avec ses colonnes qui suivent l'inclinaison de résultantes dynamiques, la

die niemals zuvor Anwendung fanden. Gaudí löst das Kräfteproblem, indem er die architektonischen Elemente in den Dienst der von ihnen ausgeübten mechanischen Funktion stellt. Die Synthese aller seiner Konzeptionen und Versuche leitet hin zur Reifung des Projektes für die Bedachung der Sagrada Familia.

Allgemein herrscht die Meinung, dass die 1883 begonnene Kirche der Sagrada Familia von Gaudí mit dem Gedanken entworfen wurde, die strukturellen Defekte der gotischen Bauweise zu korrigieren. In Wirklichkeit erkannte Gaudí jedoch, dass die gotische Bauweise nicht das Problem des Bogen-und Gewölbedrucks löste. Daher unterdrückte er in der Sagrada Familia mit ihren der Neigung der dynamischen Resultanten folgenden Säulen die Strebepfeiler und Strebebögen und

Los métodos funiculares de Gaudí provocaron en ocasiones la sonrisa, y fueron en su tiempo muy conocidos los versos del poeta Josep Carner alusivos a la manera de trabajar de Gaudí:

> «*Ara ha fet una maqueta*
> *d'una església molt coqueta.*
> *Es el temple i cada altar*
> *tot de fil d'empalomar.*»

Hijo del Camp de Tarragona, como su compatriota Joan Miró, y como éste enamorado de la naturaleza, Antonio Gaudí la sujetó minuciosamente a su observación y extrajo de ella las leyes que la configuran orgánicamente. A este respecto, Roberto Pane ha podido afirmar recientemente que «Gaudi non imita la natura, ma ne rifá il cammino». La imaginación de Gaudí, estrecha-

time were the lines of the poet Josep Carner which alluded to Gaudí's way of working:

> Now he has made a model
> For a very pretty church.
> A temple with its altars
> All made of packthread.

Born in the Catalan district called the «Camp de Tarragona», like his compatriot Joan Miró, and, like the latter, enamoured of nature, Antonio Gaudí subjected nature to meticulous observation and took from it the laws governing its organic configuration. In this respect, Roberto Pane has recently observed that «Gaudí non imita la natura, ma ne rifá il cammino». Gaudí's imagination, closely linked to his technique, operated on these laws and drove his creative genius to-

suppression des contreforts et des arcs-boutants et il a absorbé les forces dans une nouvelle structure statique qu'il n'a pas alourdie de charges supplémentaires.

Les travaux de la Sagrada Familia ont été confiés à Gaudí lorsque les fondements de l'église avaient déjà été jetés. Il dut donc repenser le bâtiment en partant d'une idée qui n'était pas la sienne et qui suivait les modèles gothiques. Gaudí a travaillé très lentement et a conçu son ouvrage, dès le début, comme un grand poème mystique plein d'allusions et d'un symbolisme minutieux et cohérent qui se rattache étroitement aux offices liturgiques.

Le temple inachevé dresse au milieu de Barcelone l'attitude vigilante de ses

fing die Kräfte in einer neuen statischen Struktur auf, ohne diese zusätzlich zu belasten.

Gaudí erhielt den Auftrag zur Sagrada Familia, als die Fundamente der Kirche bereits gelegt waren, so dass der Bau nochmals entworfen werden musste, ausgehend von einer Idee, die nicht von ihm stammte und die den gotischen Vorbildern folgte. Gaudí arbeitete sehr langsam. Von Anfang an verstand er sein Werk als eine grosse mystische Dichtung, erfüllt von Andeutungen und einem peinlich genauen, ineinandergreifenden Symbolismus, der ganz mit den liturgischen Funktionen verknüpft ist.

Die unvollendete Kirche erhebt sich in Barcelona. Ihre wachsam und stolz aufragenden Glockentürme zeichnen sich schon

mente ligada a la técnica, operaba sobre estas leyes e impulsaba su genio creador hacia soluciones fantásticas, anticipadoras de una belleza nueva. Partiendo de lo orgánico de la naturaleza, Gaudí llegaba a concebir estructuras funcionales jamás realizadas anteriormente y que hoy nos parecen muy de nuestro tiempo. Así, por ejemplo, sus columnas-árboles, resueltas a base de helicoides y constituidas, según Quintana, «por un polígono, regular o irregular, convexo o estrellado, que, a medida que se corre a lo largo de la columna, va girando simultáneamente hacia la derecha y hacia la izquierda, según leyes de giro previamente establecidas. Cada lado del polígono describe, naturalmente, un helicoide de plano director y, por lo tanto, la columna queda constituida por tantos helicoides como lados

wards fantastic solutions, the anticipation of a new kind of beauty. Taking the organic part of nature as his starting point, Gaudí succeeded in conceiving functional structures such as had never before been created, but which today seem very much of our time. Examples of this are his tree-columns, designed on a basis of helicoids and consisting, according to Quintana, in «a polygon, regular or irregular, convex or starshaped, which, according as it goes up the column, gyrates simultaneously to right and left, in accordance with previously established laws of gyration. Each side of the polygon, naturally, describes a guiding-plane helicoid and the column is therefore made up of as many helicoids as there are sides in the generating polygon». According to Sartoris, architecture owes to Gaudí a complete liberty of composition, thanks

clochers; on aperçoit de très loin leur geste fier et altier. Si le télé-objectif nous approche de leurs hauts pinacles, nous les voyons comme des êtres énigmatiques, polychromes et brillants sous le soleil. Leur irréalité et leur fantaisie s'opposent au délire des formes naturelles qui remuent et s'entrelacent nerveusement dans la forêt inattendue de la décoration du portail. Ce contraste est apprécié surtout par les amateurs du bizarre; ils tombent en extase devant cette floraison étrange et baroque d'où surgissent de grandes figures d'un naturalisme déconcertant et un peu macabre, toujours raide et dépourvu de vie. On sait que Gaudí obtenait ces références à la réalité, au monde figuratif immédiat, moyennant des moulages en plâtre pris sur des modèles vivants; il rendait ainsi plus troublant le con-

von weitem ab. Bringt uns das Teleobjektiv ihre hohen Spitzen näher, so erscheinen uns diese mit ihrer Polychromie und ihrer Leuchtkraft wie rätselhafte Wesen. Unwirklichkeit und Phantasie stehen in Kontrast zu der verwirrenden Vielfalt natürlicher Formen, die sich mit unerwarteter Wildheit auf dem Portal bewegen. Dieser Gegensatz wird vor allem von den Liebhabern des Ungewöhnlichen geschätzt, die plötzlich diesem seltsamen, barocken Blühen gegenüberstehen, aus dem grosse Figuren mit einem bestürzenden und etwas düsteren Naturalismus, immer starr und ohne Leben, auftauchen. Es ist bekannt, dass Gaudí die Bezüge zur wirklichen und unmittelbaren, gegenständlichen Welt durch Gipsabgüsse von lebenden Modellen erhielt; hierdurch machte er den Kontrast zwischen Traum und Wirklichkeit, zwischen dem unwiderruflich Toten

tiene el polígono generador». Según Sartoris, la arquitectura debe a Gaudí una completa libertad de composición gracias a sus deducciones de la elipse, del arco parabólico, de sus superficies helicoidales, de sus formas torcidas y espirales, de sus estructuras onduladas y sus cúpulas de sección parabólica. De esta manera, un mundo de formas mecánicas se despliega ante nuestros ojos con un sistema estructural de pilares, nervios, bóvedas y columnas inclinadas, cuya organicidad casa admirablemente, en muchos casos, con el paisaje circundante; así deviene un bosque más entre los grandes bosques de pinos, o un insecto, vivo y monstruoso, oculto en la alta maleza acariciada por el viento.

Todo ello cobra un especial relieve en la iglesia de la Colonia Güell (1898-

to his deductions from the ellipse and the parabolic arch, his helicoidal surfaces, his twisted and spiral forms, his undulate structures and his parabolic-section cupolas. In this way a whole world of mechanical forms unfolds before our eyes, with a structural system of pillars, ribs, vaults and inclined columns, the organic quality of which, in many cases, is admirably linked with the surrounding landscape, so that it becomes just another wood among the great pine woods, or an insect, a monstrous, live insect, hidden in the long undergrowth caressed by the wind.

All of this acquires particular prominence in the church of the Güell Colony (1898-1914), an unfinished work by Gaudí. Its interior spaces create a climate of dramatic expressiveness, asphyxiating, rough-

traste entre le rêve et la réalité, entre ce qui est définitivement mort et ce qui reste vivant. C'est là une attitude qui s'appuie sur une équivoque puisque, en fait, c'est dans ce qui a été imaginé que nous trouvons la vie, et qu'en revanche ce qui a été arraché fidèlement à la vie, encore palpitante sous le plâtre, est pourtant bien mort.

L'un des premiers travaux de Gaudí, après qu'il eut obtenu son titre d'architecte, a été la maison Vicens (1878-1880), rue de Las Carolinas. On y découvre le dessein de se rattacher à l'histoire, au passé, et ce penchant pour les thèmes orientaux et notamment «mudéjars» qui est profondément enraciné en Espagne. Gaudí commence ici à conjuguer les éléments céramiques et il se montre vivement intéressé par

und dem lebendig Fortdauernden noch verwirrender. Diese Haltung beruht auf einer Täuschung, da widersprüchlich das Lebendige das aus der Imagination Hervorgegangene und Verwirklichte ist, während die getreue Nachbildung des noch unter dem Abdruck atmenden Lebens das Tote ist.

Eines der ersten architektonischen Werke Gaudís nach Erhalt des Architektendiploms ist das Haus Vicens (1878-1880) in der Strasse Las Carolinas. Hier erkennen wir eine historisierende Tendenz, eine Neigung zum Orientalisierenden, genauer gesagt, zum tief im Spanischen verwurzelten Mudejarstil. An diesem Gebäude beginnt Gaudí, mit Keramikelementen zu experimentieren und interessiert sich lebhaft für das Schmiedeeisen. Das Ganze weist einen gewissen Hang zum Pre-

1914), obra inacabada de Gaudí. Sus espacios interiores crean el clima de una expresividad dramática, asfixiante, ruda y misteriosa. Estamos ante lo revolucionario. Sobre el esquema de un polígono funicular, Gaudí levanta el cuerpo de sus formas mágicas, y lo hace con piedra, ladrillo y basalto y con bóvedas en forma de paraboloide hiperbólico y con columnas ladeadas, no usadas nunca anteriormente, siguiendo la proyección de las líneas funiculares.

Gaudí resuelve el problema de las fuerzas disponiendo los elementos arquitectónicos al servicio de la función mecánica que ejercen. La síntesis de todas sus concepciones y ensayos derivará hacia la eclosión del proyecto de la cobertura de la Sagrada Familia.

hewn, mysterious. Here we are faced with something revolutionary. On the diagram of a funicular polygon, Gaudí raises the body of his magic forms, and he does it with stone, tiles and basalt, and with vaults in the form of hyperbolic paraboloids and tilted columns which had never been used before, following the projection of the funicular lines. Gaudí solves the problem of stresses by disposing the architectural elements in accordance with the mechanical function they perform. The synthesis of all his concepts and exercises was to produce the project for the roof of the church of the Holy Family.

It is generally considered that the church of the Holy Family, begun in 1883, was planned by Gaudí with the object of correcting the structural defects in Gothic architecture. Gaudí, in fact, saw that the

le fer forgé. Il y a dans tout cela une certaine préciosité et une certaine nostalgie héritée de l'état d'esprit que Savigny avait introduit dans la culture de cette époque.

C'est encore la préciosité que nous retrouvons dans la maison «El Capricho», à Comillas (1883-1885). La céramique vernie y est abondante et elle contraste avec la sévérité de la brique. Bientôt toutefois le palais du comte de Güell —le protecteur de Gaudí depuis les débuts de sa carrière professionnelle— (1885-1889) est déjà empreint des idées de «L'Art Nouveau», en avance même sur la maison de Víctor Horta à Bruxelles, qui est de l'année 1893. On respire dans cet hôtel un certain air décadent, un certain climat que l'on dirait issu d'une page de J. K.

ziösen auf und ist erfüllt von leiser Wehmut, die das Erbe des Geistes ist, den Savigny der Kultur jener Zeit aufprägte.

Fortgesetzt wird der preziöse Stil mit dem Haus «El Capricho» in Comillas (1883-1885), bei dem die Vielfalt der Keramik im Gegensatz zu der Rauheit des Backsteins steht, bis er schliesslich (1885-1889) mit dem Palast des Grafen Güell —Gaudís Förderer seit Beginn seiner Laufbahn— den Ideen des «L'Art Nouveau» den Weg bereitet und sogar dem Haus von Víctor Horta in Brüssel aus dem Jahr 1893 vorgreift. Eine gewisse Atmosphäre von Dekadenz erfüllt das ganze Haus —als wäre es einer Schilderung von J.K. Huysmans entstiegen— mit Räucherpfannen für exotische Parfums, nachgebildeten Fliegen und zer-

Se considera que el templo de la Sagrada Familia, empezado en 1883, fue ideado por Gaudí al objeto de corregir la arquitectura gótica de sus defectos estructurales. En realidad, Gaudí vio que el gótico no resolvía el problema del empuje de los arcos y las bóvedas; y por ello, en la Sagrada Familia, con sus columnas, que siguen la inclinación de las resultantes dinámicas, llegó a la supresión de los contrafuertes y arbotantes y absorbió las fuerzas en una nueva estructura estática, sin gravarla con cargas adicionales.

El encargo de la Sagrada Familia lo recibió Gaudí cuando ya se habían terminado de excavar los cimientos de la iglesia, por lo que tuvo que replantearse nuevamente el edificio partiendo de una idea que no era suya y que seguía

Gothic style did not solve the thrust problem of the arches and vaults; in the Holy Family, therefore, with its columns following the inclination of the dynamic resultants, he succeeded in suppressing buttresses and flying buttresses and embodied the stresses in a new static structure, without burdening it with additional loads.

The commission for the Holy Family was received by Gaudí when the foundation work of the church had already been done, so that the building had to be re-planned according to a basic idea which was not his and which followed the Gothic models. Gaudí worked very slowly, conceiving his work from the very beginning as a great mystical poem, full of allusions and with a meticulous and coherent symbolism, totally committed to the liturgical functions.

los modelos del gótico. Gaudí trabajó muy lentamente, y desde el principio concibió su obra como un gran poema místico lleno de alusiones y de un simbolismo minucioso y coherente, ligado totalmente a las funciones litúrgicas.

El inacabado templo se alza en Barcelona con la actitud vigilante de sus campanarios y, ya desde la lejanía, se advierte su orgullosa y enhiesta actitud. Si el tele-objetivo nos acerca a sus altos pináculos, nos aparecerán éstos como unos enigmáticos entes, policromados y brillantes bajo el sol. Irrealidad y fantasía se hallan aquí en contraste con el delirio de formas naturales que decoran el pórtico, que se agitan y revuelven nerviosamente en inesperada selvatiquez. Este contraste es apreciado, sobre todo, por los amantes de lo insólito,

The unfinished church towers over Barcelona with the watchful sentries of its four spires, and even from a distance one can see its proud, erect bearing, as it were. If we approach its lofty pinnacles with a telephoto lens, they will look like enigmatic beings, brilliantly polychromatic in the sun. Here we find unreality and fantasy, contrasting with the delirium of natural forms decorating the portico, which dance and flutter nervously in unexpected rusticity. This contrast is especially appreciated by lovers of the unusual, when they fall headlong into this eerie, baroque flowering, from which emerge great figures of a disconcerting and rather macabre naturalism, a naturalism ever rigid and lifeless. We know that Gaudí created these references to what was real, to the immediate, figurative world, by means of plaster casts taken

Huysmans, avec des cassolettes pour parfums exotiques, de fausses mouches et des fantasmagories déliquescentes. Le gothique vénitien est insinué dans la façade et, à l'intérieur, la conception des espaces devient audacieuse, de plus en plus intensément, et grandiloquente dans le luxe. Les arcs paraboliques sont employés dans le portail de la façade et dans les fenêtres de la salle à manger; on trouve dans la cave les colonnes-champignon, d'un grand effet plastique.

En 1887, l'évêque Grau, né à Reus, fait la commande à Gaudí d'un nouveau palais épiscopal pour Astorga, le précédent ayant été détruit par un incendie. Gaudí en fait les plans et commence les travaux mais, après la mort de Mgr. Grau, ils sont confiés à des architectes locaux. R. Collins dit que le bâtiment

fliessenden Phantasmagorien. Die Fassade zeigt Anklänge an die venezianische Gotik, die Innenraumgestaltung wird kühner und grosszügiger. Am Tor der Fassade und bei den Fenstern des Speiseraumes finden wir parabolische Bögen, in den Kellergeschossen Pilz-Säulen mit grosser plastischer Wirkung.

1887 erhält Gaudí von dem aus Reus stammenden Bischof Grau den Auftrag zum Bau des bischöflichen Palastes in Astorga, da der frühere durch einen Brand zerstört worden war. Gaudí macht die Entwürfe und beginnt mit den Bauarbeiten, aber nach dem Tode Graus wird das Werk im Jahr 1893 ortsansässigen Architekten übertragen. George R. Collins behauptet, dass das heutige Gebäude in sehr wenigen Aspekten den von Gaudí unterzeichneten Plänen entspricht.

33

34

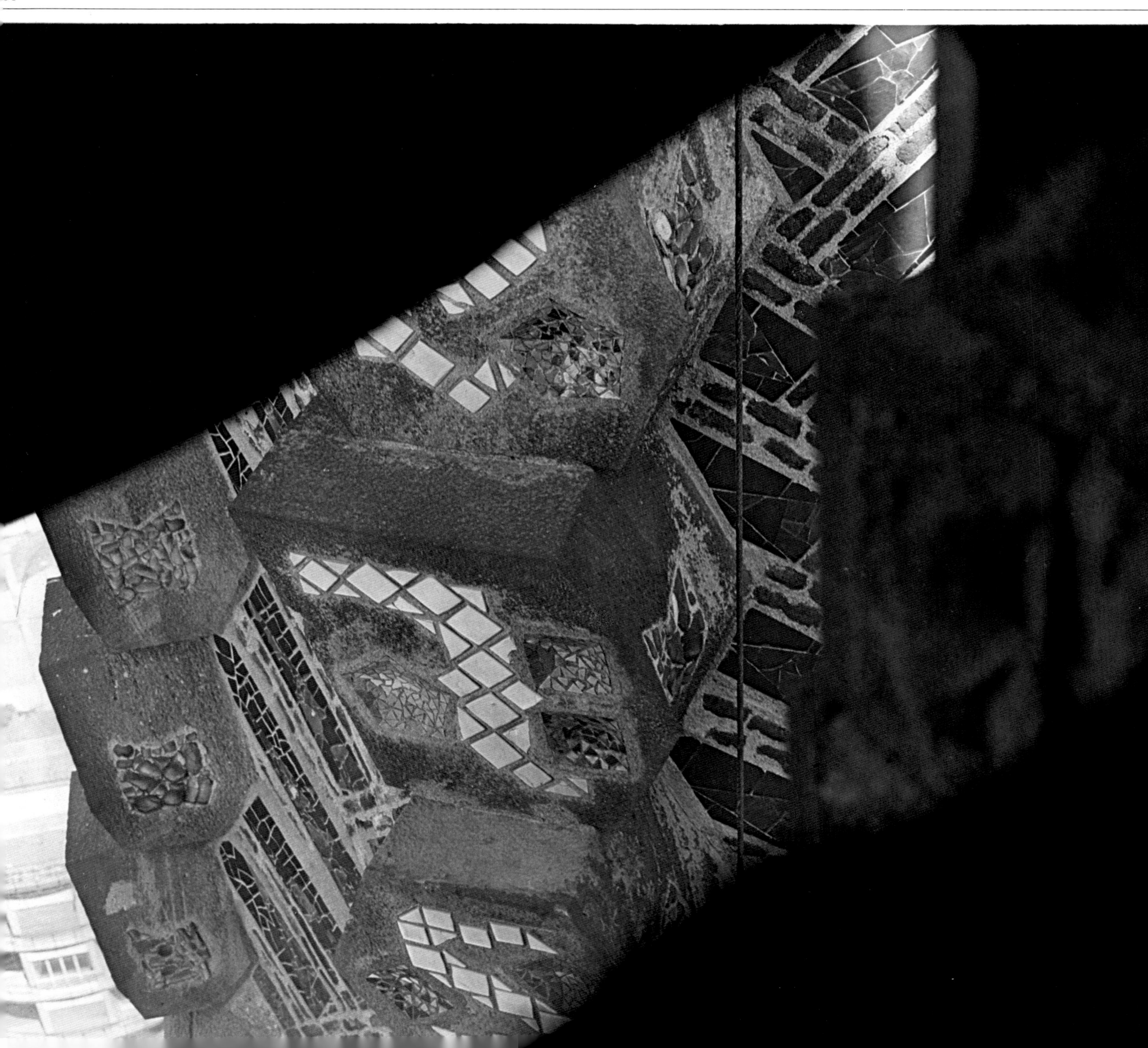

30. Vista interior de la escalera del campanario de la Sagrada Familia.
31. Entrada de luces. Campanario de la Sagrada Familia.
32 y 33. Aspectos interiores del templo de la Sagrada Familia.
34. Aspecto de decoración cerámica. Sagrada Familia.
35 y 36. Exaltación Barroca en la ordenación de superficies. Fachada de la Sagrada Familia.

30. Interior view of the belfry stairs of the Holy Family.
31. Entry of light. Belfry of the Holy Family.
32 & 33. Interior views of the church of the Holy Family.
34. Detail of ceramic decoration. Holy Family.
35 & 36. Baroque exaltation in the ordering of surfaces. Façade of the Holy Family.

35

30. Vue intérieure de l'escalier du clocher de la Sagrada Familia.
31. Ouvertures, Clocher de la Sagrada Familia.
32 et 33. Aspects intérieurs du temple de la Sagrada Familia.
34. Aspect de décoration céramique. Sagrada Familia.
35 et 36. Exaltation baroque dans la disposition de surfaces. Façade de la Sagrada Familia.

30. Innenansicht der Treppe im Glockenturm der Sagrada Familia.
31. Lichteinfall im Glockenturm der Sagrada Familia.
32 und 33. Innenansichten der Kirche der Sagrada Familia.
34. Keramikdekoration. Sagrada Familia.
35 und 36. Barocke Exaltation in der Oberflächengestaltung. Fassade der Sagrada Familia.

36

37. Tejado ondulado de las Escuelas del templo de la Sagrada Familia.
38. Sagrada Familia. Elemento decorativo concebido como una escultura abstracta.
39. Vista general de los campanarios de la Sagrada Familia.

37. Undulating roof of the schools attached to the church of the Holy Family.
38. The Holy Family. Decorative motif conceived as an abstract sculpture.
39. General view of the towers of the Holy Family.

37. Toiture ondulée des Ecoles du temple de la Sagrada Familia.
38. Sagrada Familia. Elément décoratif conçu comme une sculpture abstraite.
39. Vue générale des clochers de la Sagrada Familia.

37. Ondulierendes Dach des Schulgebäudes der Sagrada Familia.
38. Sagrada Familia. Dekoratives Element, als abstrakte Plastik gestaltet.
39. Gesamtansicht der Glockentürme der Sagrada Familia.

37

caídos de bruces en esa floración extraña y barroca, de la que surgen grandes figuras de un desconcertante y, un poco macabro naturalismo, siempre yerto y sin vida. Es sabido que las referencias a lo real, al mundo figurativo inmediato, las conseguía Gaudí por medio de vaciados en yeso sobre modelos vivos, y con ello hacía más turbador el contraste entre el sueño y la realidad, entre lo que está definitivamente muerto y lo que permanece vivo. Es ésta una actitud que se apoya en el equívoco, puesto que, contradictoriamente, lo vivo es lo imaginado y hecho real, y lo muerto, esto que ha sido arrancado fielmente a la vida, todavía palpitante bajo el vaciado.

Una de las primeras obras arquitectónicas de Gaudí, después de graduarse

from live models, and in doing so he made still more disturbing the contrast between dream and reality, between what is definitely dead and what remains alive. This is an attitude which is based on error for, contradictorily, what is alive is what is imagined and made real, and what is dead is that which has been faithfully taken from life, from a life still throbbing under the plaster cast.

One of Gaudí's first architectural works after graduation was the Vicens house (1878-1880), in the Calle de Las Carolinas, Barcelona. In it we can see a «historicizing» intention, a penchant for all that was oriental and principally for Mudejar art, with its deep Hispanic roots. It is here that Gaudí begins to use the interplay of ceramic elements and first feels a lively interest in wrought iron.

actuel «correspond sous bien peu d'aspects aux plans signés par Gaudí».

Dans la construction du Couvent Thérésien (1889-1894), l'étroitesse des moyens économiques impose à l'architecte un répertoire de formes schématiques et sévères et le choix de la brique comme matériau à employer. On a parlé de l'influence que le voyage à Astorga a pu avoir sur l'esprit de Gaudí et des conséquences de son contact avec le message de Sainte Thérèse d'Avila. Quoi qu'il en soit, il y emploie la brique sans l'exalter de touches éclatantes et en l'ajustant à la structure. L'arc parabolique y est employé, lui aussi, dans une fonction mécanique mais également pour projeter, en outre, une sensation d'infini vaste et presque angoissante.

Der Mangel an finanziellen Mitteln bei der Errichtung des Theresienkonventes (1889-1894) macht ein Repertoire von konzentrierten, strengen Formen sowie Backstein als Baumaterial erforderlich. Man hat über den Einfluss gesprochen, den die Reise nach Astorga und die Schriften der Hl. Therese von Avila auf den Geist Gaudís ausgeübt haben könnten. Es steht jedoch nur fest, dass er hier Backstein ohne Steigerung durch Glanzeffekte benutzt und ihn der Struktur anpasst. Der parabolische Bogen wird in mechanischer Funktion angewendet, aber er erzeugt gleichzeitig eine fast beklemmende Vorstellung der Weite, des Unendlichen.

Auf einer seiner Reisen nach Astorga erhielt Gaudí den Auftrag zu einem Gebäude auf dem Platz San Marcelo

38

Au cours de l'un de ses voyages à Astorga, Gaudí reçoit la commande d'un bâtiment à construire sur la place de Saint Marcel, dans la ville historique de Léon. Cette maison, que le peuple appelle «Casa Botines», lui fut inspirée par l'architecture traditionnelle du pays et par la proximité du palais des Guzmán. La «Casa Botines» est sévère, tout entiere en pierre, et elle harmonise avec l'ensemble monumental de la vieille ville. Elle fut construite entre 1892 et 1894.

A Barcelona, Gaudí a construit, sur les ruines d'un ancien palais des rois d'Aragón, la résidence «Bellesguard» (1900-1902) qu'il a conçue comme une évocation médiévale et romantique. Aussi les rappels historiques, finement stylisés par la sensibilité et par le goût décoratif de Gaudí, y jouent-ils un rôle important.

in der historischen Stadt León. Dieses Haus, im Volksmund «Casa Botines» genannt, ist inspiriert von der traditionellen Bauweise des Landes und durch die Nähe des Palastes der Guzmanen. «Casa Botines» ist streng, ganz aus Naturstein erbaut und ordnet sich harmonisch unter die Baudenkmäler der alten Stadt ein. Das Gebäude wurde zwischen 1892 und 1894 errichtet.

Auf den Ruinen eines alten Palastes der Könige von Aragón in Barcelona erbaute Gaudí die Villa «Bellesguard» (1900-1902), mit deren Entwurf er eine mittelalterliche, romantische Vorstellung verwirklichte. Eine bedeutende Rolle spielen hier infolgedessen die historisierenden Elemente, die durch die Sensibilität und den dekorativen Sinn Gaudís eine verfeinerte Stilisierung erfahren.

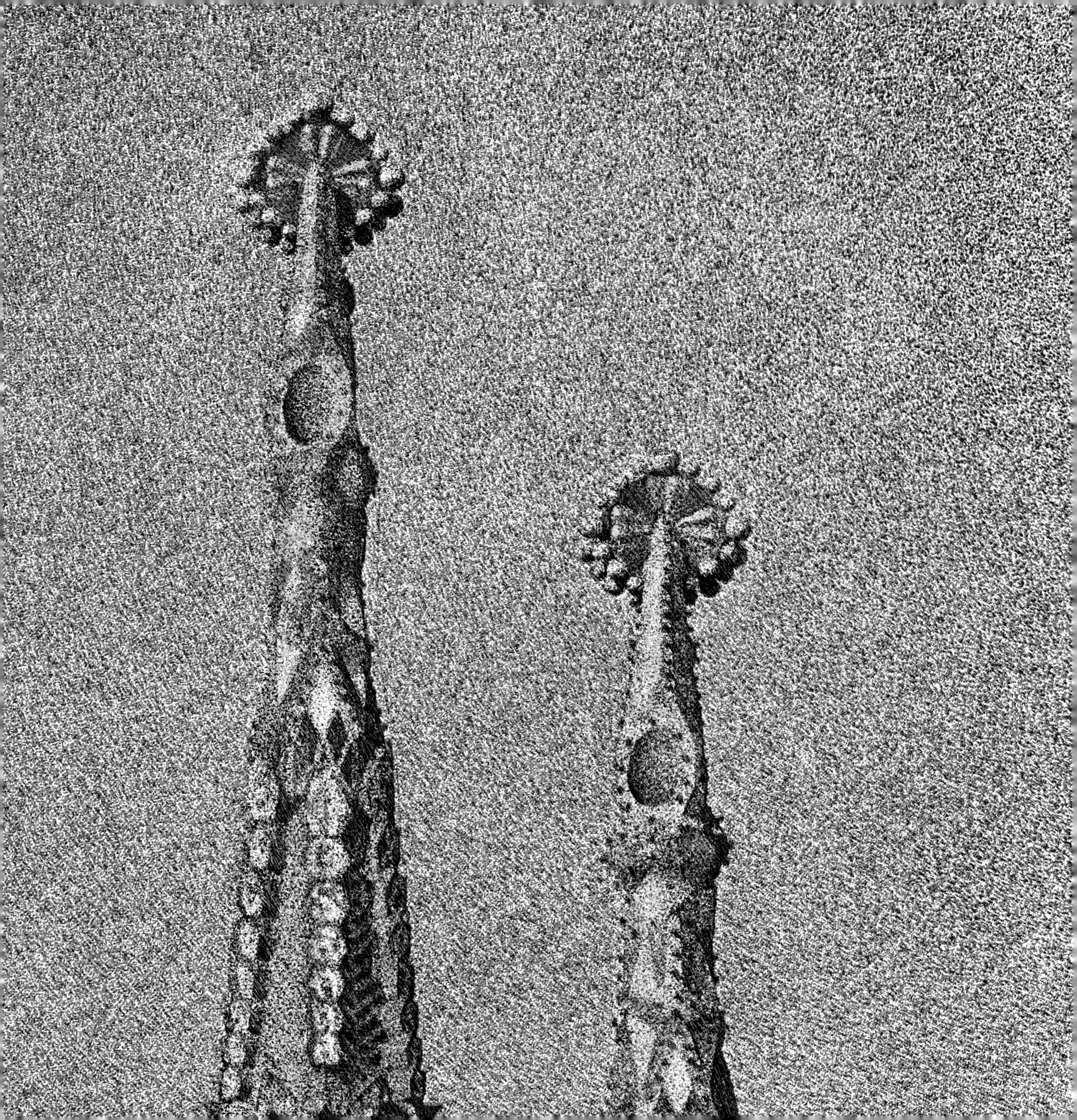

como arquitecto, es la casa Vicens (1878-1880), en la calle de Las Carolinas. En ella se aprecia una intención historicista, un «penchant» hacia lo orientalista y, concretamente, hacia lo mudéjar, de hondas raíces hispánicas. Gaudí empieza aquí una conjugación con los elementos cerámicos y se siente vivamente interesado por el hierro forjado.

Hay en todo ello un cierto preciosismo y una cierta nostalgia, heredada del talante que, en la cultura del tiempo, impuso Savigny.

El preciosismo sigue con la casa «El Capricho», en Comillas (1883-1885), con gran abundancia de cerámica en contraste con la adustez del ladrillo, hasta que con el palacio del conde de Güell —protector éste de Gaudí desde sus

There is a certain «preciosity» in all of this, something of nostalgia, the inheritance of the mode imposed by Savigny in the culture of time.

This preciosity is still to be seen in the house known as «El Capricho», in Comillas (1883-1885), with its abundance of ceramic in contrast with the severity of the bricks; finally, the palace (1885-1889) commissioned by Count Güell —who had been Gaudí's patron from the start of his professional career— paved the way for the ideas of Art Nouveau, since it anticipated even the house of Víctor Horta in Brussels, which dates from 1893. A certain air of decadence pervades the house, like something out of the pages of J. K. Huysmans, with burners for exotic scents, false flies and deliquescent phantasmagoria. In the façade

De 1905 à 1907 Gaudí a modifié la façade, le premier étage, la terrasse et la partie postérieure d'une maison déjà construite. Il s'agit de l'édifice connu sous le nom de «Casa Batlló». Sur la façade de la «Casa Batlló» les lignes horizontales deviennent onduleuses et fuyantes et elles ont quelque chose de charnu et de palpitant. C'est une sorte de divagation lyrique et sensuelle en même temps, quelque chose qui justifie l'architecture «comestible» de Dalí. Si nous levons un peu notre regard, nous sommes éblouis par la douceur coloriste des murs en céramique, évanescents et légers. Un caractère magique est octroyé à l'ensemble par la terrasse extraordinaire et déconcertante, crispée comme le dos d'un dragon fabuleux du Moyen Age, et aussi par les cheminées qui ressemblent à de bizarres

Von 1905 bis 1907 veränderte Gaudí die Fassade, das erste Stockwerk, das Dach und den hinteren Abschnitt eines Gebäudes, das als «Casa Batlló» bekannt ist. Die horizontalen Linien an der Fassade von «Casa Batlló» nehmen eine ondulierende, fliehende Form an und haben etwas Fleischiges, Zuckendes an sich. Diese Form gleicht einer lyrischen, sinnlichen Abschweifung zu anderen Zeiten; sie ist etwas, das den Begriff der «essbaren» Architektur Dalís rechtfertigt. Erheben wir ein wenig den Blick, so blendet uns die koloristische Weichheit seiner leichten, dahinfliessenden Keramikmauern. Etwas Magisches verleihen dem Ganzen das ungewöhnliche, verwirrende Dach, das aufgebaumt ist wie der Rücken eines mittelalterlichen Drachens aus der Fabelwelt, und seine Kamine, die seltsamen Blüten in einem verwun-

40

primeros tiempos profesionales— (1885-1889) abre paso a las ideas de «L'Art Nouveau», anticipándose, incluso, a la casa de Víctor Horta en Bruselas, que data de 1893. Un cierto aire decadente flota en toda la mansión, como surgido de una página de J. K. Huysmans, con pebeteros para perfumes exóticos, moscas falsas y delicuescentes fantasmagorías. En la fachada se insinúa el gótico veneciano y, en el interior, la concepción de los espacios se vuelve audaz, cada vez con mayor intensidad, y lujosamente grandilocuente. En la puerta de la fachada y en las ventanas del comedor son usados los arcos parabólicos, y en los sótanos, las columnas-hongo, de un gran efecto plástico.

En 1887, Gaudí recibe del obispo Grau, que era de Reus, el encargo de construir

there is an insinuation of Venetian Gothic, while in the interior the spatial conception becomes ever more intensely audacious, and luxuriously grandiloquent. In the doorway of the façade and in the windows of the dining room we find parabolic arches, and the mushroom-columns in the basements are of great plastic effect.

In 1887 Gaudí received from bishop Grau, a native of Reus, the commission to construct the episcopal palace of Astorga, since the previous one had been destroyed by fire. It was Gaudí who made the plans and began the work, but on the death of Grau the building was entrusted to local architects in 1893. According to George R. Collins, the present building «hardly corresponds at all to the plans signed by Gaudí».

45

40. Sótano del Palacio Güell.
41. Bóvedas del sótano. Palacio Güell.
42. Columna y bóveda. Sótano del Palacio Güell.
43. Rampa de acceso al sótano. Palacio Güell.
44. Columnas del sótano. Palacio Güell.
45. Muro de ladrillo. Patio del Palacio Güell.
46. Ventanales del Palacio Güell.

40. Basement of the Güell Palace.
41. Basement vaults. Güell Palace.
42. Column and vault. Basement of the Güell Palace.
43. Ramp leading to the basement. Güell Palace.
44. Columns of the basement. Güell Palace.
45. Tiled wall. Courtyard of the Güell Palace.
46. Windows in the Güell Palace.

46

40. Sous-sol du Palais Güell.
41. Voûtes du sous-sol. Palais Güell.
42. Colonne et voûte. Sous-sol du Palais Güell.
43. Rampe d'accès au sous-sol. Palais Güell.
44. Colonnes du sous-sol. Palais Güell.
45. Mur de brique. Cour du Palais Güell.
46. Grandes fenêtres du Palais Güell.

40. Kellergeschoss des Palastes Güell.
41. Kellergewölbe. Palast Güell.
42. Säule und Bogen. Kellergeschoss des Palastes Güell.
43. Einfahrt zum Kellergeschoss. Palast Güell.
44. Säulen im Kellergeschoss des Palastes Güell.
45. Backsteinmauer. Innenhof des Palastes Güell.
46. Fenster im Palast Güell.

fleuraisons d'un jardin enchanté. Il semble qu'à son époque on vit dans cette maison l'équivalent d'un merveilleux conte d'Andersen.

Nous avons dit plus haut que Gaudí travaillait sur la frontière entre la structure, la plasticité et la couleur. J. Puig Boada, qui partage ce point de vue, a écrit que «Gaudí sent l'architecture comme un organisme dont la structure est le squelette; la forme, la chair; et la couleur, la peau fine et rosée». L'on réussit ainsi à mieux préciser la situation de Gaudí dans l'ordre de la création, puisque l'on établit de cette façon une hiérarchie parmi les éléments qui caractérisent cet ordre. C'est toutefois à Gaudí lui-même que revient l'honneur d'avoir clairement défini la pensée génératrice de son ac-

schenen Garten gleichen. Es scheint, dass das Haus zu jener Zeit mit einem Märchentraum von Andersen verglichen wurde.

Wir erwähnten bereits, dass Gaudí auf der Grenze zwischen Struktur, Plastizität und Farbe arbeitete. J. Puig Boada schrieb in Übereinstimmung mit dieser Idee, dass «Gaudí die Architektur als einen Organismus empfindet, in dem die Struktur das Skelett bildet, die Form das Fleisch und die Farbe die zarte, rosenfarbene Haut». Mit diesem Vergleich ist es möglich, die Position Gaudís in der schöpferischen Ordnung genauer zu bestimmen, da wir bereits eine Rangfolge unter den differenzierenden Elementen einer solchen Ordnung erkennen können. Jedoch ist es Gaudí selbst, der ganz klar die Gedanken definiert, unter welchen

ismo geométrico de la emplomada. Ventanales del Palacio Güell.

47. *Geometric abstractionism in the leading. Windows in the Güell Palace.*

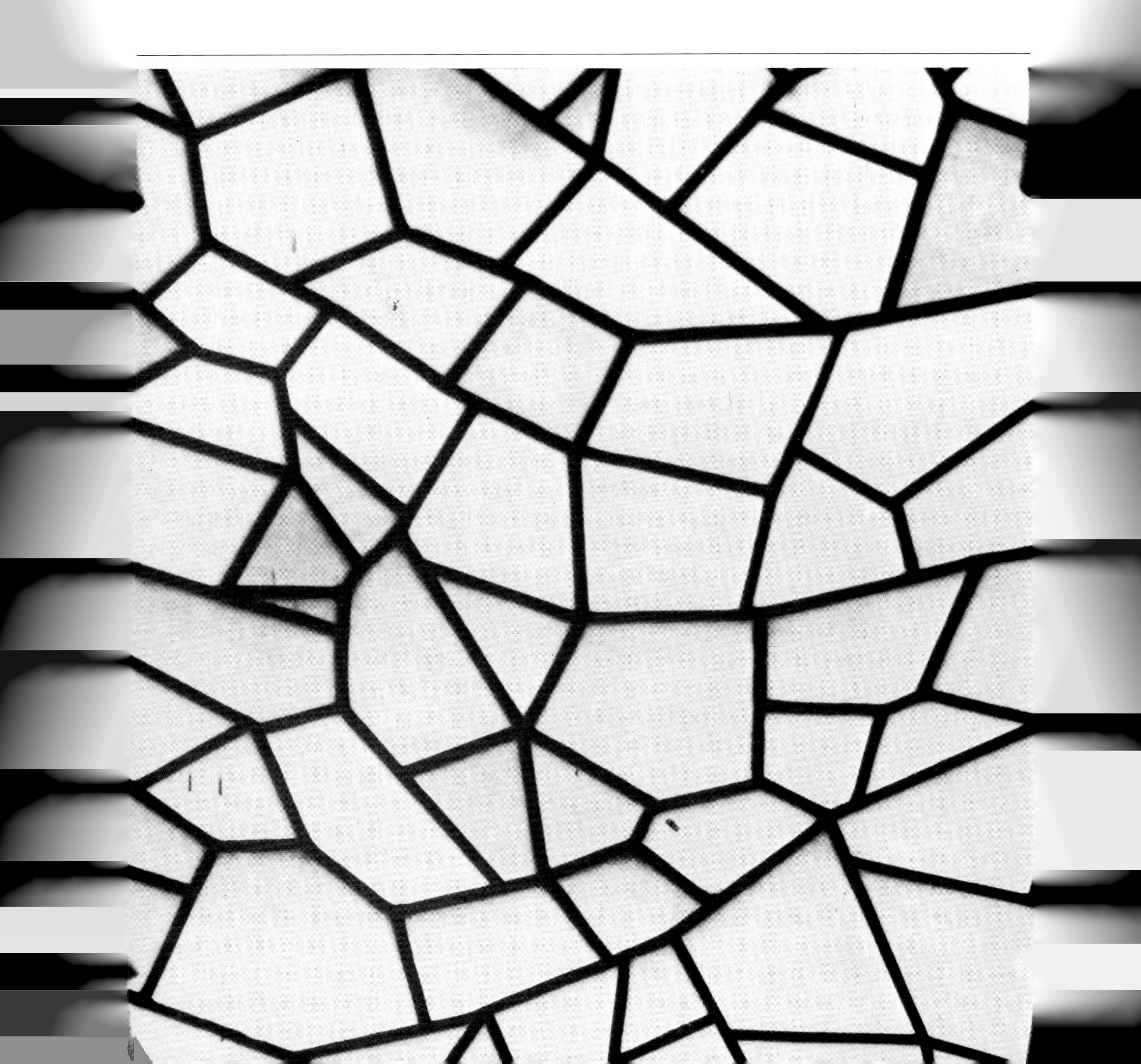

47. Abstraction géométrique du plombage. Grandes fenêtres du Palais Güell.

47. Geometrische Abstraktion bei der Verbleiung der Fenster im Palast Güell.

tivité fabuleuse; il a dit, en effet, que «l'architecture est le premier art plastique; la sculpture et la peinture en ont besoin». Plus tard, il a ajouté: «L'architecture est l'ordination de la lumière; la sculpture est le jeu de la lumière; la peinture, la reproduction de la lumière par la couleur qui est de la lumière décomposée».

La lumière est donc, pour Gaudí, un problème essentiel et l'architecture, en fonction de la lumière et d'accord avec ses principes théoriques, doit accomplir une tâche d'intégration. Cette intégration des arts dont on rêve et qui est le but que notre époque convoite et qu'elle n'a encore jamais atteint, devient ici une réalité effective. Les réalisations matérielles de Gaudí s'accordent bien avec sa pensée, car elles

seine phantastische Aktivität steht, wenn er sagt, dass «die Architektur die primäre plastische Kunst ist; Skulptur und Malerei sind auf sie angewiesen». Später fügt er hinzu: «Die Architektur ist die Ordnung des Lichtes; die Skulptur ist das Spiel des Lichtes; die Malerei ist die Wiedergabe des Lichtes durch die Farbe, welche die Auflösung des Lichtes darstellt».

Das Licht ist also für Gaudí ein wesentliches Problem. Nach seinen theoretischen Prinzipien muss die zu ihm in Funktion stehende Architektur eine Aufgabe der Integration erfüllen. Die Vorstellung von einer Integration der Künste, ein von unserer Zeit angestrebtes, aber bis heute unerreichbares Ziel, ist hier effektive Wirklichkeit. Das Denken Gaudís steht im Einklang mit den materiellen

réunissent en un tout les différents arts, les unissant d'une façon hiérarchisée. Dans son élan d'intégration, Gaudí fait encore un autre pas en avant et, pendant qu'il conçoit et qu'il ordonne l'oeuvre architecturale comme une unité, il dessine même le mobilier et les éléments auxiliaires qui viendront plus tard occuper la singularité des espaces qu'il crée.

En ce qui concerne le jeu des combinaisons chromatiques, Gaudí fut, sans aucun doute, un grand créateur. Il couvrait la surface de ses formes avec des produits céramiques divers qu'il ordonnait avec un gout sûr et vivant; le plus souvent il faisait appel au «trencadís», c'est-à-dire aux produits de rebut des fours et des industries céramiques. Il incrustait des fragments de

Verwirklichungen des Künstlers, denn diese vereinigen die verschiedenen, hierarchisch miteinander verschmolzenen Künste zu einem Ganzen. In seinem Streben nach Geschlossenheit geht Gaudí noch einen Schritt weiter: da er das architektonische Werk als Einheit denkt und ordnet, entwirft er selbst das Mobiliar und zusätzliche Elemente, die später die Einzigartigkeit der von ihm geschaffenen Räume ausfüllen sollen.

In bezug auf das Spiel der chromatischen Kombinationen war Gaudí zweifellos ein grosser Schöpfer. Er verkleidete die Oberflächen seiner Formen mit den verschiedensten keramischen Produkten, die er mit sicherem, lebendigem Geschmack anordnete. Fast immer suchte er den «trencadís» auf, arbeitete mit Abfallprodukten der Brennöfen und Keramik-

48 y 49. Vistas interiores de la cúpula del Palacio Güell.

48 & 49. Interior views of the dome of the Güell Palace.

49

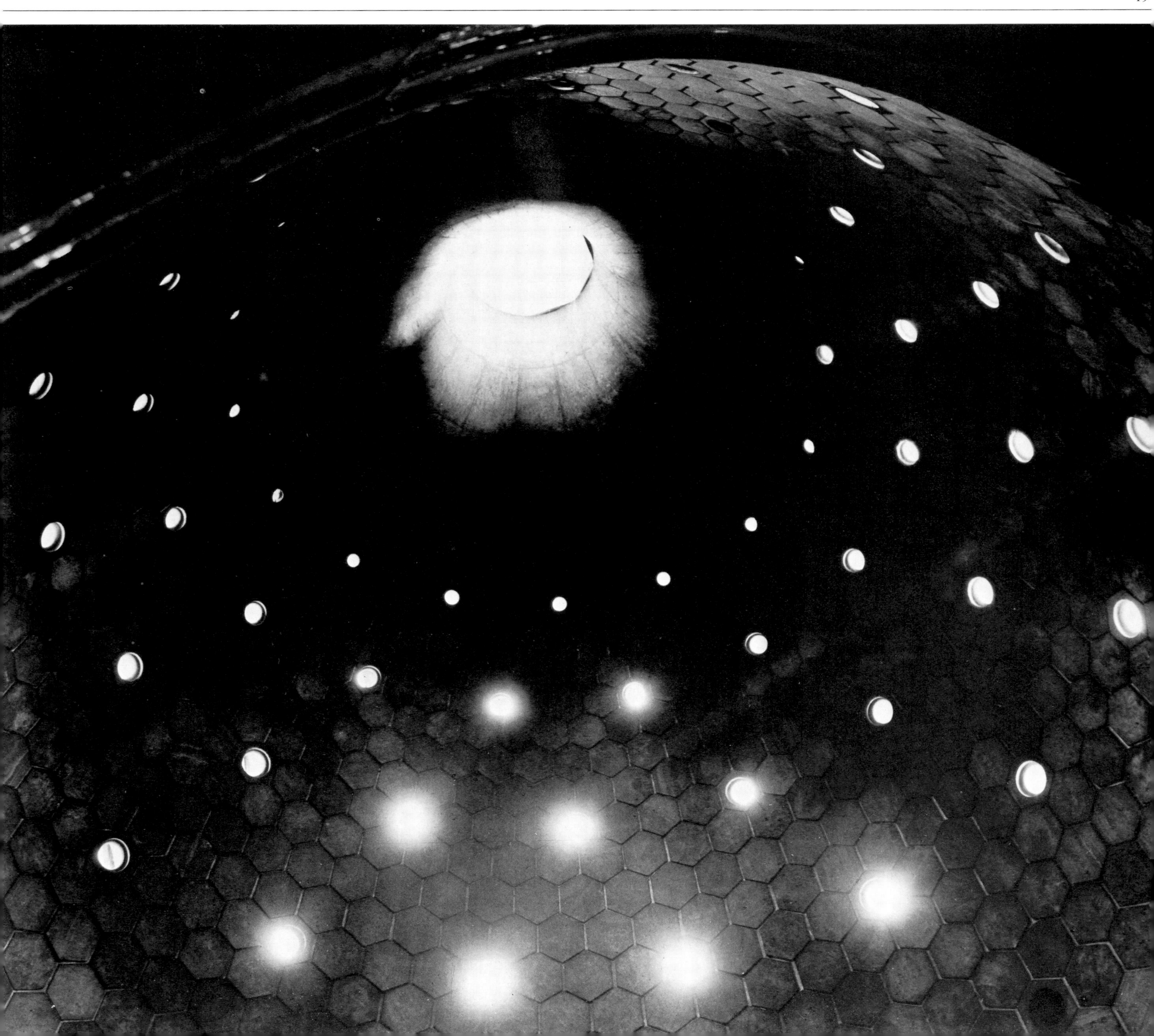

48 et 49. Vues intérieures de la coupole du Palais Güell.

48 und 49. Innenansichten der Kuppel des Palastes Güell.

faïence, les mêlant d'une façon incroyable dans une disposition très savante de rythmes; il annonçait ainsi les réactions du cubisme ou du dadaïsme.

Toutes ces surfaces ont un charme extraordinaire et elles attirent par leur liberté d'imagination, par leur vocabulaire inattendu et, en fin de compte, par leur beauté intrinsèque. Quelques-uns de ces fragments décorés rappellent des expériences qui portent certains noms bien actuels —Picasso, Klée, Kandinsky, etc.— de la peinture moderne; ils sont dus toutefois à Gaudí et ils ont été faits bien avant ces expériences. Gaudí utilisait du carrelage, des tasses, des assiettes, des morceaux de verre, et il en tirait les qualités d'un émail prodigieux, fastueux et unique comme un bijou. Le processus ornemental ac-

industrien. So inkrustierte er z. B. Majolikascherben, die er auf unglaubliche Art in einer durchdachten Anordnung von Rhythmen miteinander verband und hiermit den Schöpfungen des Kubismus oder Dadaismus vorgriff. Alle diese Flächen sind ausserordentlich faszinierend durch ihre imaginative Freiheit, durch ihr überraschendes Vokabular und nicht zuletzt durch die ihnen innewohnende Schönheit. Einige dieser Dekorationsfragmente erinnern an Experimente, die mit aktuellen Namen aus der modernen Malerei —einem Picasso, einem Klée, einem Kandinsky— verknüpft sind, die jedoch von Gaudí stammen und lange vor der Verwirklichung solcher Experimente liegen. Gaudí verwandte Mosaiken, Tassen, Teller und Glasscherben und erzielte mit ihnen die Qualitäten eines aussergewöhnlichen Emails, in seiner Einzigar-

el palacio episcopal de Astorga, ya que el anterior había sido destruido por un incendio. Gaudí hace los planos y comienza las obras, pero fallecido Grau la obra es confiada en 1893 a arquitectos locales. George R. Collins dice que el edificio actual «corresponde en muy pocos aspectos a los planos firmados por Gaudí».

La precariedad de medios económicos impone en la construcción del Convento Teresiano (1889-1894) un repertorio de formas sucintas y severas y la adopción del ladrillo como material a emplear. Se ha hablado de la influencia que el viaje a Astorga pudo producir en el espíritu de Gaudí así como la confrontación con el mensaje de Santa Teresa de Ávila. Lo cierto es que emplea aquí el ladrillo, sin exaltaciones brillantes, ajus-

Precarious economic circumstances obliged Gaudí, during the building of the Teresian Convent (1889-1894), to use a repertoire of austere, succinct forms and to decide on brick as the principal material to be used. Much has been said of the influence that his visit to Astorga may have had on Gaudí's spirit, and also of the famous confrontation with the message of Saint Teresa of Avila. What is certainly true is that here he uses brick without any brilliant exaltation, in deference to the structure.

The parabolic arch is also used in a mechanical function, but it provides, as well, a vast and almost afflicted sense of the infinite.

During one of his visits to Astorga, Gaudí was commissioned to construct a building

quérait parfois une diction exaltée et, à certains moments, comme dans cette merveille qu'est le Parc Güell, Gaudí faisait appel à ce que nous entendons aujourd'hui sous le nom de «collages», en enchâssant dans le ciment le corps mutilé d'une poupée. Par ailleurs, les formes qu'il emploie, ainsi que ses sculptures, sont toujours abstraites, détachées de toute référence à la réalité environnante, très libres et très expressives, et elles sont réalisées ou exécutées matériellement par des artisans, très fidèles à l'esprit de Gaudí et toujours sous sa direction. Lorsqu'il est question de ses collaborateurs dans cette entreprise, il faut nommer ici son aide, l'architecte Jujol, un homme d'une sensibilité très fine et dont le rôle dans cette sorte de travaux n'est pas suffisamment connu.

tigkeit einem Schmuckstück zu vergleichen. Zuweilen erreichte das Ornamentale eine überschwengliche Diktion; in einigen Fällen, wie im Park Güell, wandte Gaudí eine Technik an, die wir heute als «collage» verstehen-er inkrustierte im Zement den verstümmelten Körper einer Puppe.

Im übrigen sind seine Formen ebenso wie seine Skulpturen immer abstrakt, losgelöst von der sie umgebenden Realität, sehr frei und expressiv. Ihre Verwirklichung bzw. Materialisierung liegt in den Händen von Handwerkern, die unter der Anleitung Gaudís stehen und seinem Geist getreu folgen. Aus der Reihe seiner Mitarbeiter an diesen Werken müssen wir einen Helfer Gaudís, den Architekten Jujol, erwähnen —ein Mann von grösster Sensibilität, dessen Mitwirkung an dieser Art von Arbeiten nicht allen bekannt ist.

tándose a la estructura. El arco parabólico es usado también en función mecánica, pero proyectando, además, una vasta y casi angustiosa sensación de infinito.

En uno de sus viajes a Astorga, Gaudí recibió el encargo de construir un edificio en la plaza de San Marcelo, en la histórica ciudad de León. Esta casa, llamada popularmente «Casa Botines», fue inspirada por la arquitectura tradicional del país y por la proximidad del palacio de los Guzmanes. La «Casa Botines» es severa, toda ella de piedra, y armoniza con el conjunto monumental de la vieja ciudad. Su construcción se realizó entre 1892 a 1894.

Sobre las ruinas de un antiguo palacio de los reyes de Aragón, en Barcelona,

in the square of San Marcelo, in the historic city of Leon. This house, popularly known as «Casa Botines», was inspired in the traditional architecture of the region and in the nearby palace of the Guzmans. The «Casa Botines» is severe, built all in stone, and is in harmony with the monumental quality of the old city. It was built between 1892 and 1894.

On the ruins of an ancient palace of the kings of Aragon in Barcelona Gaudí built the residence known as «Bellesguard» (1900-1902), which he conceived as an evocation of all that was medieval and romantic.

Consequently, the «historicizing» elements still play an important role in this building, though stylized with finesse

Le Parc Güell (1900-1914) est sans doute l'un des endroits où l'on peut juger le mieux du sens chromatique de Gaudí. C'est là aussi que l'on découvre clairement son souci de la texture des matériaux et des combinaisons soudaines de ceux-ci en tant que réalités expressives. Il fut conçu comme une cité-jardin parfaitement adaptée au site sur lequel il devait être bâti. Inspiré, nous le savons, des organismes naturels, les formes en sont non moins organiques, et elles serpentent, ondoyantes, ou se blotissent dans des concavités minérales. Le tout rappelle un bois pétrifié ou une vaste matrice géologique, qui se crée elle-même au fur et à mesure, avec une force d'expansion lente, terriblement tenace et puissante. L'esprit en est présent partout, saisissant par sa signification lucide, mais indéchiffrable au

Der Park Güell (1900-1914) ist zweifellos eine der Stätten, an denen der chromatische Sinn Gaudís besonders gewürdigt werden kann. Hier enthüllen sich ebenfalls mit grosser Klarheit sein Interesse für die Struktur der Materialien und deren überraschende Verbindungen zu ausdrucksvollen Realitäten. Der Park wurde als Gartenstadt entworfen und sollte der Oberflächenbeschaffenheit des Geländes völlig angepasst werden. Inspiriert, wie wir wissen, am organischen Aufbau der Natur, sind seine Formen ebenfalls organisch, bilden wellenförmige Serpentinen oder ducken sich in die Höhlen des Gesteins. Das Ganze gleicht einem versteinerten Wald, einer erweiterten geologischen Gebärmutter, die sich mit einer langsamen, furchterregend hartnäckigen und mächtigen Expansionskraft selbst erschafft. Dieser Geist ist überall

construyó Gaudí la residencia «Bellesguard» (1900-1902), concibiéndola como una evocación medieval y romántica. En consecuencia, los elementos historicistas siguen jugando aquí un papel importante, estilizados finamente por la sensibilidad y por el gusto decorativo de Gaudí.

De 1905 a 1907, Gaudí modificó la fachada, el primer piso, la azotea y la parte posterior de un edificio construido anteriormente. Es la casa conocida con el nombre de «Casa Batlló». En la fachada de la «Casa Batlló», las líneas horizontales devienen ondulantes y huidizas y tienen algo de carnoso y palpitante. Es como una divagación lírica y sensual a un tiempo, algo que justifica la arquitectura «comestible» daliniana. Si alzamos un poco los ojos, nos des-

by Gaudí's sensitivity and decorative taste.

Between 1905 and 1907, Gaudí modified the façade, the first floor, the flat roof and the rear part of a building already constructed. This was the house known as the «Casa Batlló». In the façade of the «Casa Batlló» the horizontal lines become undulating and evasive and seem to have a rather fleshly, palpitating quality. It is like a digression, lyrical and sensual at the same time, something which justifies the «eatable» architecture of Dalí. Looking a little higher up, we find ourselves dazzled by the colourist softness of its walls of ceramic, light and evanescent. The whole is given a magic quality by its extraordinary, disconcerting roof, writhing like the back of a fabulous medieval dragon,

point d'en être angoissante, ensevelie dans la semence de ce qui est potentiellement vivant. Bien souvent cette beauté finira par nous paraître monstrueuse, trop vivante pour notre petit monde de compromis équilibrés. Dans le Parc Güell nous retrouvons les colonnes inclinées de Gaudí qui ressemblent maintenant à des troncs et à des racines. La pierre est traitée comme s'il s'agissait de l'écorce d'un arbre et elle surgit rugueuse et âpre, élémentaire et innocente comme quelque chose de naturel. On dirait, parfois, une offrande barbare faite par des hommes très éloignés de nous, perdus dans la nébuleuse du temps, et dont les mains maladroites n'auraient su que dégrossir la dure matérialité de cet élément primitif, la terre. Gaudí nous apparaît ici plus wagnérien que

gegenwärtig und überwältigt durch seinen klaren, aber doch auf beklemmende Weise unentzifferbaren Sinn, der im Keim des in der Potenz Lebendigen begraben ist.

In vielen Augenblicken erscheint uns diese Schönheit ungeheuerlich, zu lebendig für unsere kleine Welt der ausgewogenen Kompromisse.

Im Park Güell stossen wir von neuem auf die geneigten Säulen, die hier Stämmen und Wurzeln gleichen. Der Stein ist bearbeitet, als wäre er die Rinde eines Baumes; schrundig, rauh, mit der ganzen Elementalgewalt und Unschuld des Natürlichen bietet er sich dar. Zuweilen erscheint er wie eine barbarische Opfergabe der frühen Menschheit, verloren im Nebel der Zeiten, deren ungeübte Hände kaum in den harten Körper des ersterschaffenen

50. Puerta interior de la Casa Batlló.
51. Estructura vítrea que cubre el patio de escaleras de la Casa Batlló.
52 y 53. Detalles del patio de escaleras de la Casa Batlló.
54 al 56. Cubiertas de cerámica. Casa Batlló.
57. Detalle del vestíbulo de la Casa Batlló.

50. Inner door in the Batlló House.
51. Mosaic of glass over the stair well in the Batlló House.
52 & 53. Details of the stair well in the Batlló House.
54-56. Ceramic roof treatment. Batlló House.
57. Detail of the entrance hall of the Batlló House.

50

50. Porte intérieure de la Maison Batlló.
51. Structure vitrée couvrant la cour d'escaliers de la Maison Batlló.
52 et 53. Détails de la cour d'escaliers de la Maison Batlló.
54 à 56. Couvertures de céramique. Maison Batlló.
57. Détail du vestibule de la Maison Batlló.

50. Tür im Inneren des Hauses Batlló.
51. Glasstruktur, die den Treppenhof des Hauses Batlló überdacht.
52 und 53. Details des Treppenhofes im Haus Batlló.
54 bis 56. Keramikoberflächen. Haus Batlló.
57. Detail des Foyers vom Haus Batlló.

51

52

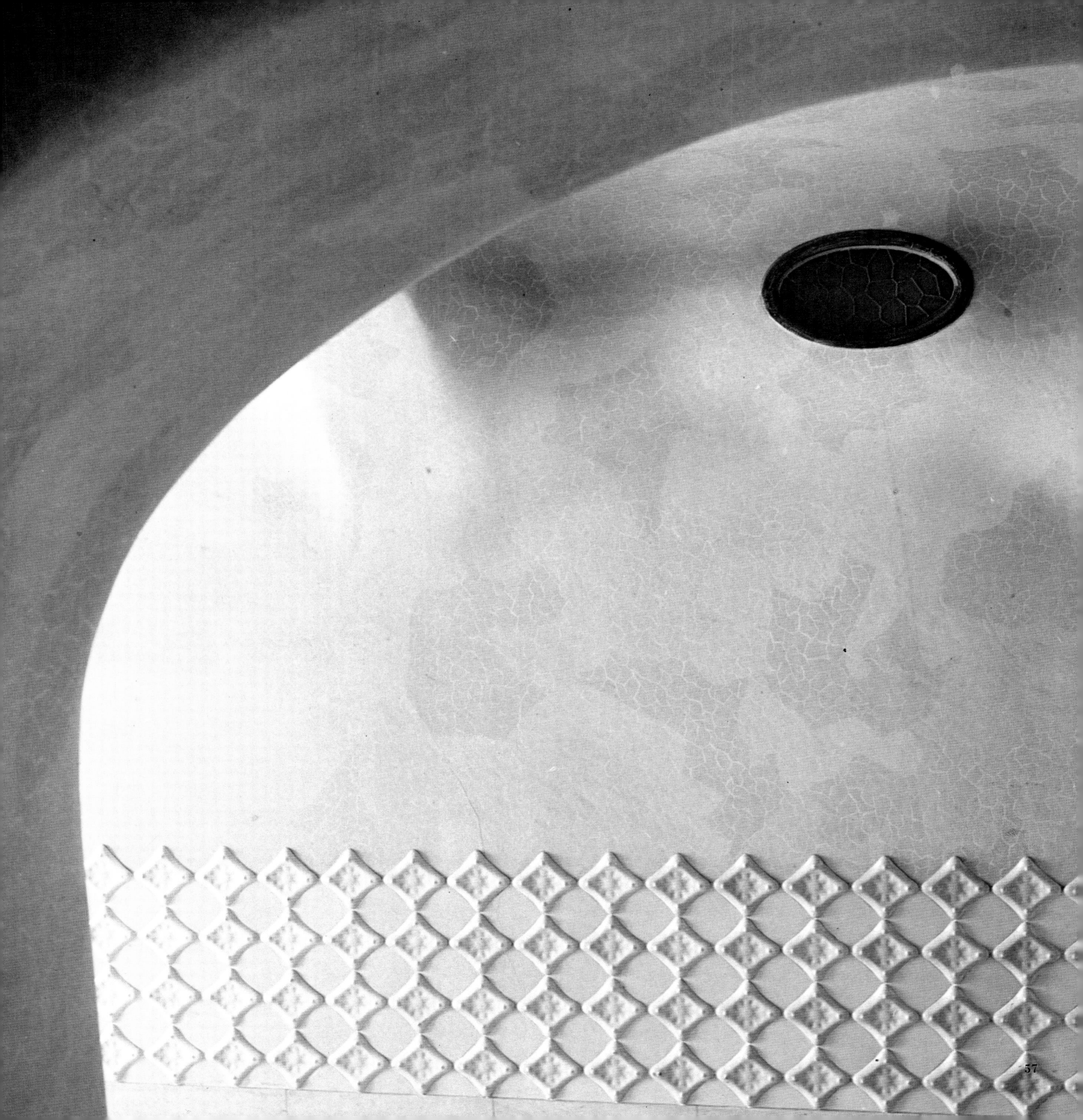

lumbra la colorista suavidad de sus muros de cerámica, evanescentes y ligeros. Otorga magicismo al conjunto, su extraordinaria y desconcertante azotea, crispada como el dorso de un fabuloso dragón medieval, y también sus chimeneas que semejan raras floraciones de un jardín encantado. Parece que esta casa fue identificada en su tiempo a un maravilloso sueño de Andersen.

Hemos dicho anteriormente que Gaudí trabajaba en la frontera entre la estructura, la plasticidad y el color. J. Puig Boada, coincidiendo con esta idea, ha escrito que «Gaudí siente la arquitectura como un organismo, del cual la estructura es el esqueleto; la forma, la carne, y el color, la piel fina y rosada». Con ello se consigue precisar más la situación de Gaudí en el orden creador,

and also by its chimney pots, which are like exotic flowers in an enchanted garden. It is said that, at the time, this house was likened to something out of Andersen's wonderful tales.

We have already said that Gaudí worked on the frontier between structure, plasticity and colour. J. Puig Boada, who shares this opinion, has written that «Gaudí feels architecture as a living organism, in which the structure is the skeleton and the form is the flesh, while the colour is the smooth, rosy skin». This makes it possible for us to specify more precisely the situation of Gaudí in the creative order, for we can already see an established hierarchy among the differentiating elements of such an order. It was Gaudí himself, however, who gave the clearest definition of the way of

jamais, exprimant cette fatalité de quelque chose de cosmique, d'obscur et de souterrain qui finalement éclate en pleine lumière. Deux secondes après le chaos, les éléments s'organisent et se séparent, ils se structurent, dans ce qu'ils ont d'essentiel, selon des lois que Gaudí, grâce à son intuition, a été le seul à découvrir. Les pressions et les résistances s'opposent encore dans les viaducs et les murs des terrassements du Parc Güell et ces forces de la terre sont résolues par Gaudí, dans ses études graphostatiques, avec une naturalité surprenante, c'est-à-dire avec originalité. Car certainement jamais comme dans cette occasion, jamais comme dans le cas d'Antonio Gaudí, nous ne saurions dire que d'être original cela signifie revenir à l'origine, revenir une fois de plus à la source de ce qui est.

Elementes, der Erde, einzudringen vermochten. An dieser Stelle begegnet uns Gaudí am ausgesprochensten «wagnerianisch», mit dieser Fatalität des Kosmischen, Dunklen und Unterirdischen, das schliesslich zum Licht durchbricht. Unmittelbar nach dem Chaos trennen und ordnen sich die Elemente ; ihr Wesentliches strukturiert sich nach Gesetzen, die erst Gaudí mit seiner Intuition entdeckt hat. Druck und Widerstand treffen bei den Viadukten und Umfassungsmauern des Parkes Güell wiederum aufeinander ; diese tellurischen Kräfte werden von Gaudí in seinen graphostatischen Studien mit einer überraschenden Natürlichkeit, d. h. Originalität, gebunden. Nur hier, nur bei Antonio Gaudí ist es möglich zu sagen, dass Originalität die Rückkehr zum Ursprung, die Rückkehr zum Anfang des Seins bedeutet.

pues vemos ya una jerarquía establecida entre los elementos diferenciadores de tal orden. Sin embargo, es al propio Gaudí a quien ha correspondido definir claramente el pensamiento generador de su fabulosa actividad, diciendo que «la arquitectura es el primer arte plástico; la escultura y la pintura necesitan de la primera». Más tarde, añade: «La arquitectura es la ordenación de la luz; la escultura es el juego de la luz; la pintura, la reproducción de la luz por el color, que es la descomposición de la luz».

La luz es, pues, para Gaudí un problema esencial, y la arquitectura, en función de la misma y de acuerdo con sus principios teóricos, debe cumplir una labor integradora. La soñada integración de las artes, anhelado objetivo de

thinking that gave rise to his fabulous activity, when he said that «architecture is the first plastic art; sculpture and painting need the first». Later he added: «Architecture is an ordering of light; sculpture is the play of light; painting is the reproduction of light through colour, which is the decomposition of light».

For Gaudí, therefore, light is an essential problem, while architecture, considered as a function of light and in accordance with his theoretical principles, must perform a task of integration. The dreamed-of integration of the arts, that long-desired but hitherto unattainable goal of our time, here becomes true reality and the ideas of Gaudí are consistent with the material achievements of the artist, since these latter contain all the different arts in hierarchical fusion. In

58

58. Detalle de la azotea de la Casa Batlló.
59 y 60. Detalle del ático y escalera. Casa Batlló.
61. Formas decorativas. Azotea Casa Batlló.

58. Detail of the roof of the Batlló House.
59 & 60. Detail of the top floor and staircase. Batlló House.
61. Decorative forms. Roof of the Batlló House.

58. Détail de la terrasse de la Maison Batlló.
59 et 60. Détail de l'attique et escalier. Maison Batlló.
61. Formes décoratives. Terrasse Maison Batlló.

58. Detail des Daches von Haus Batlló.
59 und 60. Detail des Dachgeschosses und der Treppe von Haus Batlló.
61. Dekorative Formen. Dach des Hauses Batlló.

60

59

nuestros días hasta ahora inalcanzable, halla aquí una efectiva realidad, y el pensamiento de Gaudí es coherente a las realizaciones materiales del artista, pues éstas totalizan las diversas artes jerárquicamente fusionadas. En su afán totalizador, Gaudí da un paso más hacia adelante y, concibiendo y ordenando la obra arquitectónica como una unidad, diseña incluso el mobiliario y elementos auxiliares que han de venir a ocupar, más tarde, la singularidad de los espacios por él creados.

Referido al juego de las combinaciones cromáticas, Gaudí fue, sin duda alguna, un gran creador. Recubría las superficies de sus formas con productos cerámicos diversos, ordenándolos con un gusto seguro y vivo, acudiendo, las más de las veces, al «trencadís», a los pro-

his eagerness to achieve total art, Gaudí took a further step forward and, conceiving and arranging his architectural work as a single unit, even designed the furniture and auxiliary elements which were later to occupy the singular spaces he had created.

When we come to the play of chromatic combinations, there is no doubt at all that Gaudí was a great creator. He covered the surfaces of his forms with various ceramic products, which he arranged with vivid, unerring taste, most often making use of «trencadis», the rubble thrown out of the kilns and potteries. He incrusted surfaces with fragments of majolica, mixing them incredibly in a most intelligent arrangement of rhythms, thus anticipating the creations of cubism and dadaism. All of these surfaces are

61

62 al 69. «Collage» cerámico de los bancos del Parque Güell.

62-69. Ceramic collages on the benches in the Güell Park.

ductos de desecho de los hornos e industrias cerámicas. Incrustaba fragmentos de mayólica, mezclándolos increíblemente en una sabia disposición de ritmos, anticipándose con ello a las creaciones del cubismo o del dadaísmo. Todas estas superficies son extraordinariamente fascinantes y atraen por su libertad imaginativa, por lo inesperado de su vocabulario y, al cabo, por su belleza intrínseca. Algunos de estos fragmentos decorados recuerdan experiencias vinculadas a determinados nombres actuales —un Picasso, un Klée, un Kandinsky, etc.— de la pintura moderna y, sin embargo, son de Gaudí y hechos mucho antes que tales experiencias fueran realizadas. Gaudí utilizaba mosaicos, tazas, platos, trozos de vidrio, y con ello conseguía las calidades de un prodigioso esmalte, fastuoso y

extraordinarily fascinating and attract us by reason of their imaginative liberty, the unexpectedness of their vocabulary and, finally, their intrinsic beauty. Some of these decorated fragments bring to mind experiments which are associated with certain famous names —Picasso, Klee, Kandinsky, etc.— of modern painting, and were done, nevertheless, by Gaudí, done long before any of these experiments were made. Gaudí employed mosaics, cups, plates and pieces of glass, and with these materials he obtained all the qualities of a marvellous kind of enamel, as magnificent and unique as a jewel. This ornamental process sometimes acquired an exalted form of expression and occasionally, as in the wonderful Güell Park, Gaudí had recourse to the process we now know as «collage», incrusting on the cement the mutilated

62 à 69. Collage céramique des bancs du Parc Güell.

62 bis 69. Keramische «Collage» auf den Bänken des Parks Güell.

62

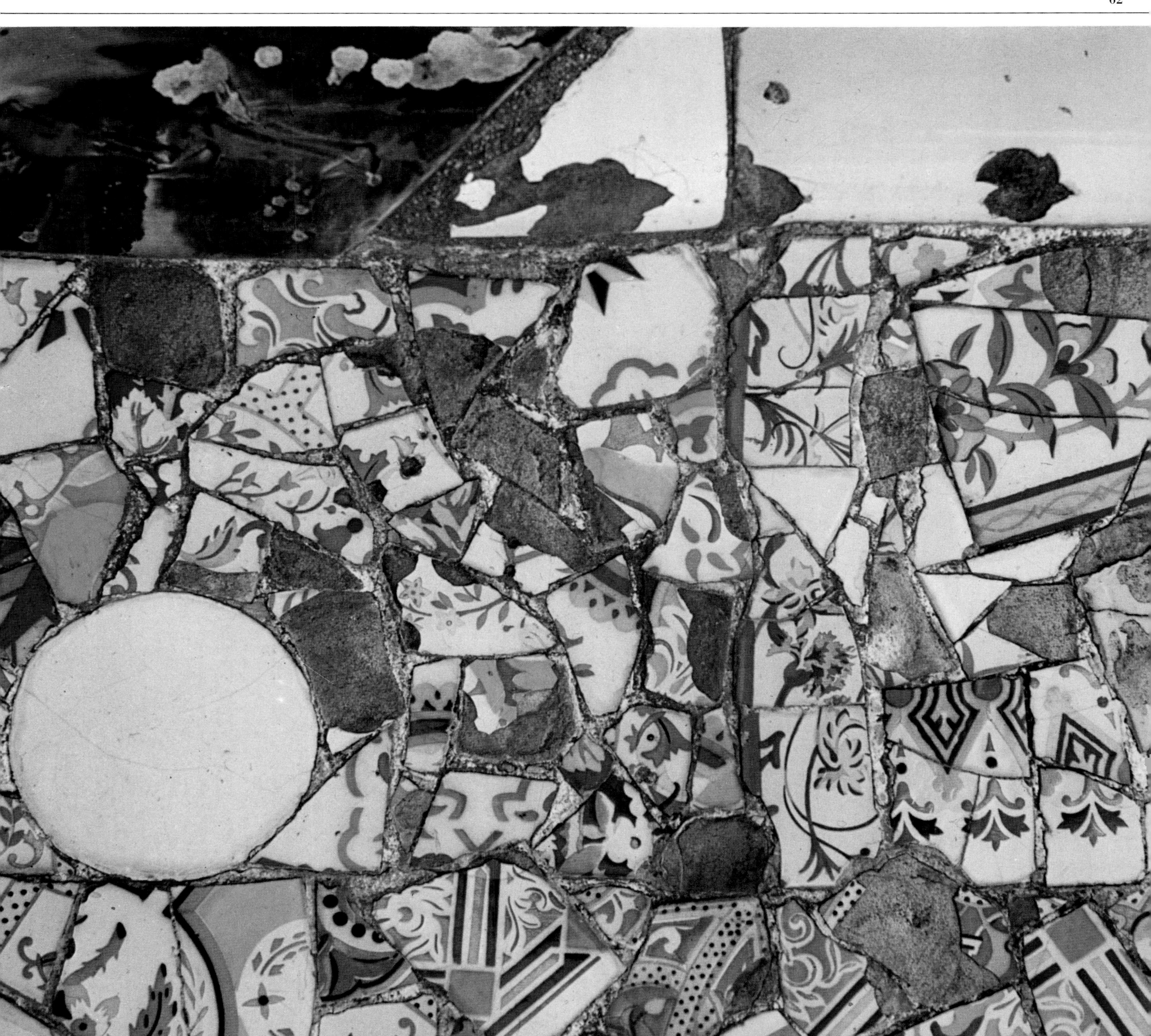

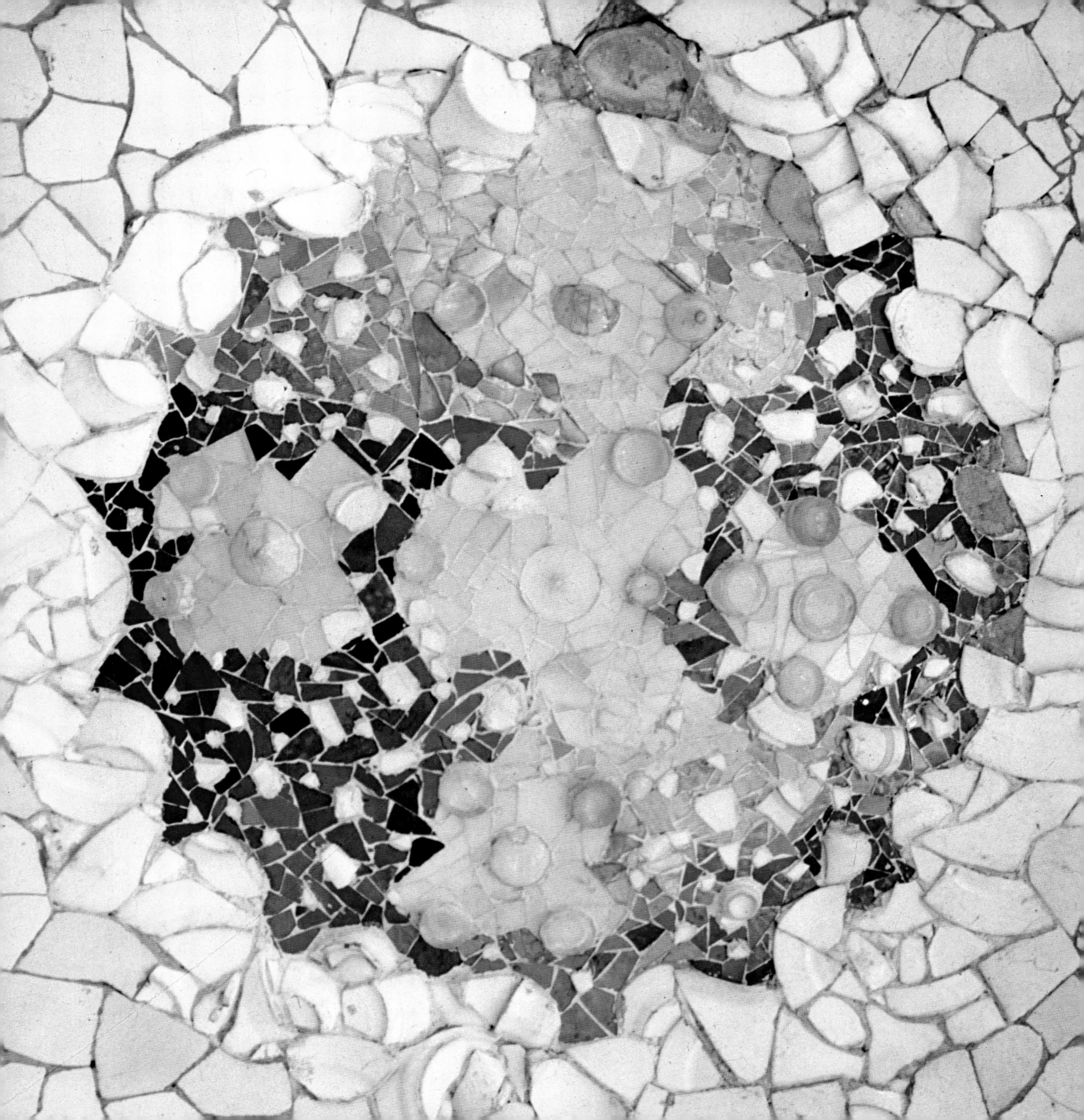

69

La maison Milá (1905-1910), que l'on appelle couramment «La Pedrera», représente dans l'oeuvre de Gaudí l'épanouissement total des formes naturelles en tant qu'exemple à suivre. Le nom même qui lui a été donné par le peuple souligne le caractère évident de cette affirmation et la promptitude avec laquelle l'intention de Gaudí a été saisie. Cet édifice se présente à nos yeux comme une grande masse alvéolée et courbée, assujettie à un mouvement précautionneux et lent, comme un poumon de pierre qui respirerait doucement. La sensation de mouvement est donnée par le profil ondulé des étages avec leurs fenêtres irrégulières et leurs contrastes. Si nous la contemplons sous une autre lumière ou d'un autre point de vue, «La Pedrera» nous semble, en effet, une montagne érodée par la pluie

Das Haus Milá (1905-1910), volkstümlich «La Pedrera» genannt, stellt unter den Werken Gaudís die vollkommene Verwirklichung der Naturformen als zu befolgendes Vorbild dar. Der ihm vom Volk verliehene Name macht die Offenkundigkeit der Aussage deutlich, wie er auch die Schnelle beweist, mit der die Intention Gaudís verstanden wurde. Das Gebäude bietet sich unseren Augen als grosse, zellenartig gegliederte, gebogene Masse dar, die einer behutsamen und langsamen Bewegung unterworfen ist gleich einer leise atmenden, steinernen Lunge. Das Gefühl von Bewegung wird durch das ondulierende Profil der einzelnen Stockwerke mit ihren unregelmässigen Fenstern und ihren Kontrasten hervorgerufen. Betrachten wir «La Pedrera» unter wechselndem Licht oder aus einem anderen Gesichtswinkel, so erweckt

único como una joya. El proceso ornamental adquiría, a veces, una exaltada dicción, y en algún momento, como en la maravilla del Parque Güell, Gaudí acudía a lo que hoy entendemos por «collage», incrustando en el cemento el cuerpo mutilado de una muñeca. Por lo demás, sus formas, al igual que sus esculturas, son siempre abstractas, desligadas de toda referencia a la realidad circundante y muy libres y expresivas, siendo realizadas o ejecutadas materialmente por artesanos, muy fieles al espíritu de Gaudí, y siempre bajo la dirección de éste. En la relación de sus colaboradores en tal empresa, es preciso mencionar aquí a un ayudante de Gaudí, el arquitecto Jujol, hombre de finísima sensibilidad, y cuya participación en esta clase de trabajos no es demasiado conocida.

body of a doll. His forms, moreover, like his sculptures, are always abstract, completely free of any reference to the surrounding reality and very free and expressive, being materially carried out by craftsmen who were very faithful to the spirit of Gaudí and always worked under his direct supervision. In any mention of his collaborators in this work, we must mention an assistant of Gaudí's, the architect Jujol, a man of extremely fine sensitivity, whose participation in this kind of work is not generally known.

The Güell Park (1900-1914) is, beyond all doubt, one of the places in which Gaudí's chromatic sense can best be appreciated. It is here, too, that we find clearly revealed his preoccupation with the textures of the materials and their sudden combinations as expressive realities. It

et le vent, ravinée jusqu'aux entrailles par les rafales pénétrantes des accidents atmosphériques. L'équivoque surgit encore ici parce que la pierre prend une étrange qualité molle, élastique, docile à la pression imaginée des doigts, à la caresse de la paume de la main.

En fait, la maison Milà toute entière est une sculpture énorme et palpitante, sensible pour le toucher et pour la vue. Quand la pierre ne suffit pas à Gaudí, il fait appel au fer forgé auquel il octroie aussi la forme de sculptures entrelacées. Tout cela sera porté à son point le plus haut dans la terrasse de la maison Milà, où l'exaltation plastique de l'artiste sera tout à fait libérée.

Un des exégètes actuels de Gaudí, Enrique Casanelles, affirme que lors-

es tatsächlich den Eindruck eines durch Regen und Wind erodierten Berges, der bis ins Innerste von feinen Stössen atmosphärischer Angriffe ausgehöhlt ist.

Doch von neuem sind wir einer Täuschung erlegen, denn der Stein wird unter dem ideellen Druck der Finger, unter der behutsamen Berührung mit der Hand seltsam weich und nachgiebig.

In Wirklichkeit ist das Haus Milá eine riesige, atmende Skulptur, die unter der Berührung oder Betrachtung versinnlicht wird. Sobald Gaudí der Stein nicht mehr genügt, greift er zum Schmiedeeisen, dem er ebenfalls die Form von ineinander verschlungenen Skulpturen verleiht. Der Höhepunkt des Hauses Milá ist sein Dach, bei dem die plastische Exaltation des Künstlers zu völliger Freiheit gelangt.

El Parque Güell (1900-1914) es, sin duda, uno de los lugares donde mejor puede apreciarse el sentido cromático de Gaudí. Es aquí también donde claramente se desvelan sus preocupaciones por las texturas de los materiales y las súbitas combinaciones de éstos como realidades expresivas. Fue concebido como una ciudad jardín y con una perfecta adecuación a la configuración del terreno sobre el cual debía ser construido. Inspirado, como sabemos, en el organicismo de la naturaleza, sus formas son también orgánicas, y serpentean ondulantes o se agazapan en concavidades minerales. Todo ello es como un bosque petrificado o como una dilatada matriz geológica, que va creándose a sí misma, con una fuerza de expansión lenta, terriblemente tenaz y poderosa. Su espíritu es presente en todas

was conceived as a garden city which would be perfectly suited to the contours of the land on which it was to be constructed. Inspired, as we know, in the organism of nature, its forms are also organic, and they wind and undulate or crouch in the hollows of the rocks.

The whole effect is that of a petrified forest, or of a dilated geological mould, gradually creating itself, with a force of expansion which is slow, but terribly tenacious and powerful. His spirit is present everywhere and surprises us with its significance, lucid but distressingly indecipherable, buried in the germ of that which is potentially alive. On many occasions we shall end by finding this beauty monstrous, too much alive for our little world of balanced compromises.

que l'extraordinaire architecte établit la plante flexible de la maison Milà il est le précurseur du fonctionnalisme. Il n'y a point mis de murs de charge intérieurs et il y a projeté une rampe d'accès au sous-sol pour les voitures. Selon cet auteur, cette rampe devait arriver jusqu'à la terrasse, mais on y renonça quand elle atteignait déjà le second étage, puis on la démonta parce qu'elle occupait trop de place. Le plafond du sous-sol est soutenu par des structures en fer et la couverture de la terrasse par des structures en brique dans le grenier. «Gaudí obtient ici, dit Casanelles, un ensemble plastique d'une facture excellente parce qu'il conçoit la terrasse dans l'unité rythmique du bâtiment dont elle constitue la dernière surface onduleuse et qu'il place l'ensemble sculptural des

Einer der heutigen Exegeten Gaudís, Enrique Casanelles, bestätigt, dass der aussergewöhnliche Architekt mit dem Entwurf der flexiblen Anlage des Hauses Milá dem Funktionalismus vorgriff. Er verzichtete auf innere Stützmauern und sah für die Fahrzeuge eine Zufahrtsrampe zu den Kellergeschossen vor. Wie der genannte Autor sagt, sollte die Rampe bis zum Dach hinaufführen. Jedoch gab man diesen Plan auf der Höhe des zweiten Stockwerkes auf und entfernte sie wieder, da sie zu viel Raum beanspruchte. Eisenstrukturen stützen die Decke des Kellergeschosses, Backsteinstrukturen tragen das Dach. «Hier erreicht Gaudí», laut Casanelles, «eine plastische Gesamtwirkung von höchster Vollendung, da er in die rhythmische Einheit des Gebäudes als letzte ondulierende Fläche das Dach einbezieht, auf dem er die von Rauch-

partes y sobrecoge por su significación lúcida, pero angustiosamente indescifrable, sepultada en el germen de lo que está vivo en potencia. Muchas veces esta belleza acabará por parecernos monstruosa, demasiado viva para nuestro pequeño mundo de equilibrados compromisos.

En el Parque Güell volvemos a encontrarnos con sus columnas inclinadas, que semejan ahora troncos y raíces. La piedra es tratada como si fuera la corteza de un árbol, y surge rugosa, áspera, con toda la elementalidad y la inocencia de lo natural. A veces, aparece como una ofrenda bárbara, hecha por hombres remotísimos, perdidos en la nebulosa del tiempo, cuyas manos inhábiles apenas desbastaran la dura corporeidad de este elemento primi-

In the Güell Park we find once more Gaudí's inclined columns, which now look like the trunks and roots of trees. The stone is treated as if it were the bark, and rises, rough and wrinkled, with all the elemental innocence of what is natural. At times it seems to be some barbaric offering, made by men so far removed from our world as to be lost in the mists of antiquity, whose unskilled hands could scarcely shape the hard substance of this primitive element which is the earth. It is here that we find Gaudí at his most Wagnerian, with this fatality of something cosmic, obscure and subterranean, which finally bursts out into the light. Two seconds after chaos, the elements are organized and separated, are constructed in their essence in accordance with laws which only the intuition of Gaudí has been able to discover. Pressures

cheminées de fumée, d'aérage et les édicules d'accès. Pour lui conférer le mouvement dont elle est douée, les arcs du grenier, qui soutiennent la terrasse, sont inégaux. Aux arcs les plus hauts correspond une prominence dans la surface extérieure».

Sur la terrasse nous trouvons le plus extraordinaire ensemble de sculptures de Gaudí, constitué par les cheminées et les tuyaux d'aération du bâtiment. Ces sculptures énormes s'imposent à nous comme des présences maléfiques, comme des robots doués d'un pouvoir terrifiant, fixes et immuables dans leur impassibilité inébranlable. Leurs formes gauchies rappellent l'art des peuples primitifs et, plus particulièrement, l'art noir, et elles sont douées d'une vie étrange et ancestrale mais bien rattachée

und Entlüftungskaminen sowie den Treppenausgängen gebildete Skulpturengruppe anbringt. Um die Bewegung des Daches zu erreichen, sind die Bögen des Dachbodens, welche die Decke tragen, ungleich hoch. Der inneren Erhöhung entspricht eine Erhebung auf der Aussenfläche und umgekehrt».

Auf dem Dach finden wir die aussergewöhnliche Gruppe der Gaudíschen Skulpturen, die als Kamine und Entlüftungsschlote konkrete Gestalt annehmen. Diese enormen Skulpturen drängen sich uns auf wie unheilbringende Gestalten, Roboter einer schrecklichen Macht, unbeirrbar und gleichmütig von ihrem sicheren Standort aus. Ihre gekrümmten Formen erinnern an die Kunst primitiver Völker, besonders an die der Neger. Sie sind erfüllt von eigentümlichem, nie versiegtem

70 al 77. Plafones decorativos realizados con desechos de cerámica (trencadís). Bancos del Parque Güell.

70-77. Decorative panels composed of ceramic fragments (trencadís). Benches in the Güell Park.

70

genio, la tierra. Aquí es donde más wagneriano encontramos a Gaudí, con esta fatalidad de cosa cósmica, oscura y subterránea, que estalla finalmente a la luz. Dos segundos después del caos, los elementos se organizan y se separan, se estructuran en su esencialidad siguiendo unas leyes que, sólo Gaudí, con su intuición, ha descubierto. Presiones y resistencias vuelven a oponerse en los viaductos y muros de contención del Parque Güell y estas fuerzas telúricas son resueltas por Gaudí, en sus estudios grafostáticos, con una sorprendente naturalidad, es decir, originalidad.

Porque ciertamente, nunca como ahora, nunca como en el caso de Antonio Gaudí, nos será dable decir que originalidad significa volver al origen, volver una vez más, al arranque de lo que es.

and counter-pressures are once more opposed in the viaducts and retaining walls of the Güell Park, and these telluric forces are deployed by Gaudí, in his graphostatic studies, with a surprising naturalness, by which I mean originality.

For it is quite certain that never so much as in the present case, the case of Antonio Gaudí, shall we be able to say that originality means going back to the origin, returning once more to the start of what something is.

70 à 77. Plafonds décoratifs réalisés avec des déchets de céramique (trencadís). Bancs du Parc Güell.

70 bis 77. Dekorative Einlagen aus keramischen Abfallprodukten (trencadís). Bänke im Park Güell.

77

à l'ensemble du bâtiment. Leur modernité est étonnante, et lorsqu'elles se trouvent sous les rayons du soleil l'effet des lumières et des ombres est littéralement merveilleux.

Leben, das jedoch in das Gebäudeganze einbezogen ist. Die Modernität dieses Zusammenspiels ist bestürzend, die Wirkung von Licht und Schatten unter den Strahlen der Sonne wunderbar im wahren Sinne des Wortes.

La casa Milá (1905-1910), llamada popularmente «La Pedrera», representa en la obra de Gaudí la perfecta eclosión de las formas naturales como ejemplo a seguir. El mismo nombre que le impone el pueblo, pone de relieve la evidencia de tal aserto así como la rapidez con que fue captada la intención de Gaudí. El edificio se nos presenta a nuestros ojos como una gran masa alveolada y curvada, sujeta a un movimiento cuidadoso y lento, tal un pétreo pulmón respirando suavemente. La sensación de movimiento la dan el perfil ondulado de las plantas edificadas con sus irregulares ventanas y sus contrastes. Si la contemplamos con una luz diferente o desde otro punto de vista, «La Pedrera», efectivamente, da la impresión de un monte erosionado por la lluvia y el viento, excavado hasta sus

The Milà house (1905-1910), popularly known as «La Pedrera» (The Quarry), represents in the work of Gaudí the perfect apparition of natural forms as examples to be followed. The very name given it by the public gives weight to this assertion, as does the rapidity with which Gaudí's intention was grasped. The building appears to our eyes as a great mass of curves and cavities, subject to a slow and careful movement, like a kind of stone lung, breathing gently. It receives this sensation of movement from the undulating profile of the constructed storeys, with their irregular windows and their contrasts. If we look at it in another light, or from a different point of view, the «Pedrera» does in fact rather give the impression of a mountain eroded by the wind and the rain, excavated right into its entrails by the piercing blast of

La terrasse de la maison Milà, avec ses différences de niveau et ses fantômes en pierre et en céramique, est, pour ainsi dire, le Grand Guignol de la fantaisie de Gaudí, l'élan crispé d'un visionnaire dont la personnalité, en avance sur son temps, en fait le précurseur exceptionnel d'un nouvel ordre du goût.

On a dit, en effet, que la maison Milà semble avoir été le modèle qui a inspiré la Tour Einstein de Mendelsson et la synagogue de Cleveland. En fait, chaque jour nous découvrons des coïncidences et pouvons faire des rapprochements. La raison en est qu'après le rationalisme nécessaire qui a été représenté par le mouvement fonctionaliste, le monde éprouve à nouveau le besoin de formes sensibilisées. L'intérêt que, dans les

Das Dach des Hauses Milá mit seinen Höhenunterschieden und seinen Phantasmen aus Stein und Keramik ist das «Grand Guignol» der Phantasie Gaudís, die überschäumende Erregung eines Visionärs, dessen Persönlichkeit der aussergewöhnliche Vorlaufer einer neuen Geschmacksordnung ist.

Man hat behauptet, dass das Haus Milá das Motiv der Inspiration für den Einstein-Turm von Mendelsson und für die Synagoge von Cleveland zu sein scheint. In Wirklichkeit stossen wir auf täglich mehr Übereinstimmungen und Beziehungen. Der Grund hierfür liegt in der Tatsache, dass wir nach dem notwendigen Rationalismus, der durch die funktionalistische Bewegung vertreten wurde, von neuem das Bedürfnis nach einer Sensibilisierung der Formen fühlen. Das In-

78 al 81. Detalles del tejado y pináculos de los pabellones del Parque Güell.
78-81. Details of the roof and pinnacles of the pavilions of the Güell Park.

78 à 81. Détails du toit et faîtes des pavillons du Parc Güell.
78 bis 81. Details des Daches und der Zinnen der Pavillons im Park Güell.

78

entrañas por las sutiles ráfagas de los accidentes atmosféricos. El equívoco vuelve a surgir aquí porque la piedra adopta una extraña calidad blanda, elástica, dócil a la presión ideal de los dedos, a la caricia de la palma de la mano.

En realidad, la casa Milá es toda ella una enorme escultura palpitante, sensualizada al tacto y a la visión. Cuando la piedra no le basta a Gaudí acude entonces al hierro forjado, al que otorga también la forma de entrelazadas esculturas. Todo ello culminará en la azotea de la casa Milá, donde la exaltación plástica del artista será totalmente puesta en libertad.

Uno de los actuales exégetas de Gaudí, Enrique Casanelles, afirma que el extraordinario arquitecto, al establecer la

atmospheric accident. But here again there is something equivocal, for the stone takes on a strange quality of smoothness and elasticity, submissive to an imanary pressure of fingers, ready to be caressed with the palm of the hand.

The truth is that the whole Milà house is nothing more or less than a huge, palpitating sculpture, made sensual to touch and vision. Whenever stone was not flexible enough, Gaudí resorted to wrought iron, to which he also gave the form of entwined sculptures. All of this was to culminate in the roof of the Milà house, in which the artist's plastic exaltation was set absolutely free.

One of our contemporary authorities on Gaudí, Enrique Casanelles, asserts that this extraordinary architect, in designing

82. Vista general de la plaza del Parque Güell.
82. General view of the main piazza of the Güell Park.
82. Vue générale de la place du Parc Güell.
82. Gesamtansicht des Hauptplatzes des Parks Güell.

82

83 al 89. Fantasía cromática orientalistas. Parque Güell y Casa Batlló.

83-89. Orientalist chromatic fantasies. Güell Park and Batlló House.

planta flexible de la casa Milá, se anticipó al funcionalismo. Prescindió de los muros interiores de carga y proyectó una rampa de acceso a los sótanos para los vehículos. Según este autor, la rampa debía llegar hasta la azotea, pero se desistió de ello a la altura del segundo piso y se desmontó porque ocupaba demasiado espacio. Estructuras de hierro sostienen el techo del sótano y estructuras de ladrillo en el desván para sostener la cubierta de la azotea. «Aquí Gaudí —dice Casanelles— logra un conjunto plástico de óptima factura, al concebir la azotea dentro de la unidad rítmica del edificio y que constituye la última superficie ondulante en la que situará el conjunto escultórico de las chimeneas de humo, de ventilación, y los edículos de los accesos a la azotea. Para lograr el movimiento que ésta

the flexible plan of the Milà house, anticipated functionalism, dispensing with interior load-bearing walls and planning a ramp to permit the access of vehicles to the basements. According to this author, the ramp was to reach the roof, but the plan was abandoned when they got to the second storey, and the ramp was taken down as it took up too much space. Iron structures support the ceiling of the basement, while there are brick structures in the attics to support the roof. «Here» says Casanelles, «Gaudí achieves a plastic ensemble of singularly fine execution, by conceiving the roof within the rhythmic unity of the building, as constituting the last undulating surface, on which he will place the sculptural group of the chimneys, the ventilation ducts and the accesses to the roof. To give the roof its sensation of movement,

83 à 89. Fantaisie chromatique orientaliste. Parc Güell et Maison Batlló.

83 bis 89. Chromatische Phantasien mit orientalischer Tendenz. Park Güell und Haus Batlló.

83 →

dernières années, l'on a manifesté pour Gaudí, provient précisément de cela, de la liberté de son imagination appliquée à la fonction des structures. Sweeney et Sert disent que c'est ce facteur qui fait de Gaudí un grand initiateur de l'architecture moderne, c'est-à-dire «son courage, sa recherche persistante, son opposition au passéisme académique, son attitude devant les nouvelles méthodes de construction».

Nous ne sommes pourtant qu'au début. Il est certain que la renommée de Gaudí ne cessera de croître glorieusement à l'avenir.

JUAN PERUCHO

teresse, das Gaudí in den letzten Jahren geweckt hat, beruht besonders auf seiner imaginativen Freiheit, die auf die Funktion der Strukturen angewandt ist. Laut Sweeney und Sert ist es gerade dieser Faktor, der Gaudí zum grossen Bahnbrecher der modernen Architektur macht, d. h. «sein Mut, sein beharrliches Studium, seine Opposition gegen den akademischen Historizismus, seine Haltung gegenüber den neuen Konstruktionsmethoden.»

Wir stehen jedoch erst am Anfang. Sicher ist, dass sich der Ruf Gaudís auch in zukünftiger Zeit mehr und mehr verbreiten wird.

JUAN PERUCHO

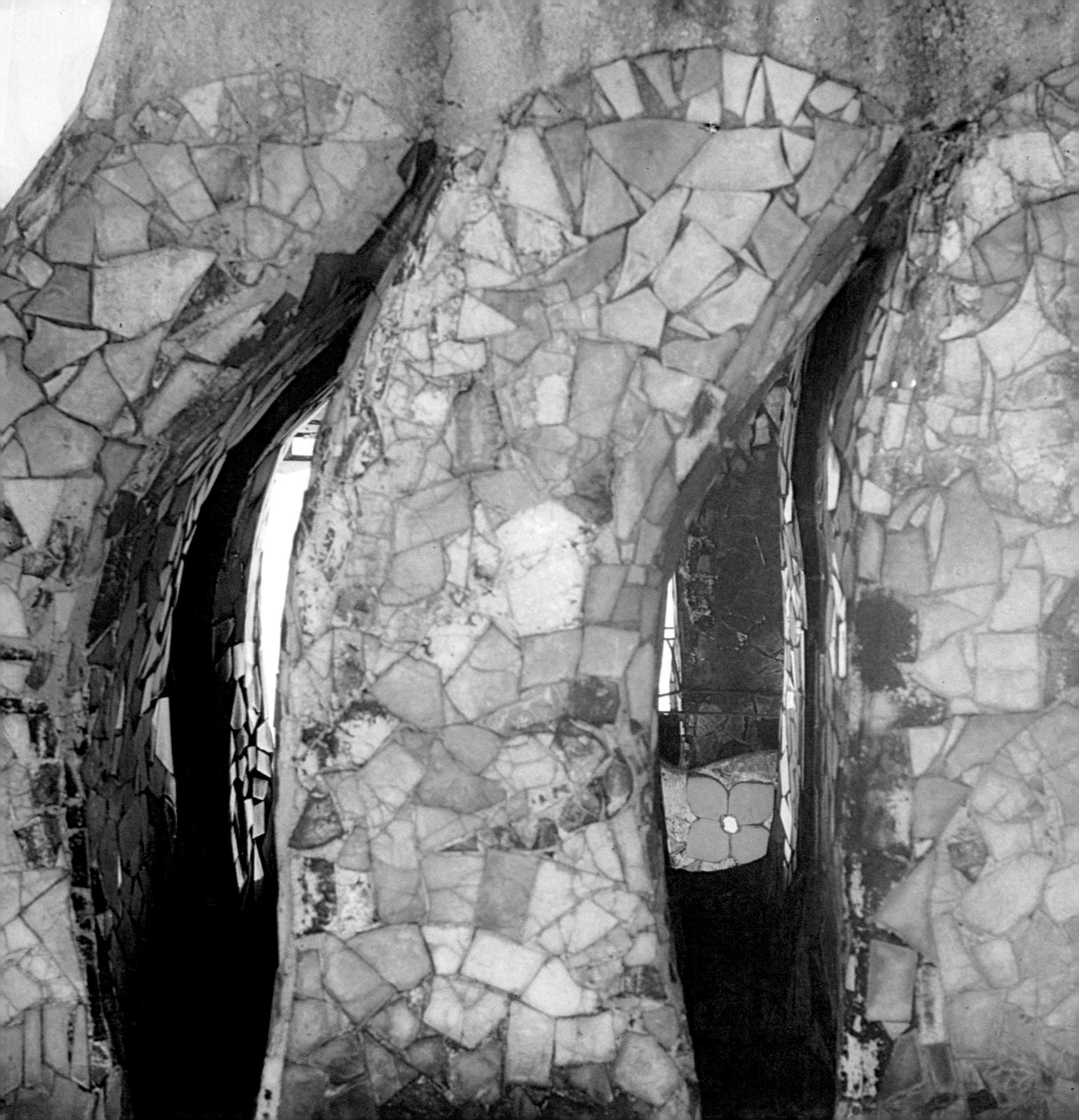

91

93 94

90 al 95. Detalles de estructuras pétreas, con carácter marcadamente primitivo, del Parque Güell.
96. Detalle de una verja diseñada por Gaudí. Parque Güell.
90-95. Details of stone structures, of noticeably primitive characteristics, in the Güell Park.
96. Detail of a grating designed by Gaudí. Güell Park.

90 à 95. Détails de structures en pierre, de caractère primitif marqué, du Parc Güell.
96. Détail d'une grille dessinée par Gaudí. Parc Güell.
90 bis 95. Details von Steinstrukturen mit auffällig primitivem Charakter im Park Güell.
96. Detail eines von Gaudí entworfenen Gitters. Park Güell.

95

96

97 al 102. Detalles del Museo Gaudí. Obra de Berenguer, uno de los colaboradores de Gaudí. Situado dentro del Parque Güell.

97-102. Details of the Gaudí Museum. This is the work of Berenguer, one of Gaudí's assistants, and is located behind the Güell Park.

97 à 102. Détails du Musée Gaudí. Oeuvre de Berenguer, l'un des collaborateurs de Gaudí. Situé dans le Parc Güell.

97 bis 102. Details des Gaudí-Museums, das von Berenguer, einem der Mitarbeiter Gaudís, erbaut wurde und im Park Güell gelegen ist.

99

100

101

102

tiene, los arcos del desván, que sostienen la solera, son desiguales. A la altura interior corresponde una prominencia en la superficie exterior, y a la inversa».

En la azotea encontramos el más extraordinario conjunto de esculturas de Gaudí, concretizadas en las chimeneas y respiraderos del edificio. Estas enormes esculturas se imponen como si fueran presencias maléficas, robots de un terrible poder, fijos e inmutables desde su segura impasibilidad. Sus formas alabeadas recuerdan el arte de los pueblos primitivos, concretamente al arte negro, y están animadas por una vida extraña y ancestral, integrada, sin embargo, en el conjunto del edificio.

La modernidad de todo ello es asombrosa y el efecto de luces y sombras,

the attic arches which support the cross-beams are irregular. Interior height is matched by prominence on the exterior surface, and vice versa».

On the roof we find Gaudí's most extraordinary ensemble of sculptures, the chimneys and ventilation ducts of the building. These enormous sculptures impress us as if they were malevolent presences, robots possessed with a terrible power, fixed and immutable in their constant impassivity. Their warped shapes bring to mind the art of primitive peoples, especially negro art, and they are animated by a strange, ancestral life, which is nevertheless integrated into the building as a whole. The modernity of all this is astonishing and the effect of light and shade, when the sun's rays strike the roof, is literally marvellous.

103. Casa Milá. Detalle de la puerta de entrada.
104 y 105. Aspectos exteriores de la Casa Milá.
106. Detalle de la azotea de la Casa Milá, con las torres de la Sagrada Familia al fondo.
107 al 115. Chimeneas y tubos de ventilación de la Casa Milá.

103. The Milà House. Detail of the front door.
104 & 105. Exterior views of the Milà House.
106. Detail of the roof of the Milà House, with the towers of the Holy Family in the distance.
107-115. Chimneys and ventilation ducts of the Milà House.

cuando le hieren los rayos del sol, literalmente maravilloso.

La azotea de la casa Milá, con sus desniveles y sus fantasmas de piedra y de cerámica, es como el «gran Guignol» de la fantasía de Gaudí, el encrespado arrebato de un visionario cuya personalidad, anticipándose al tiempo, surgirá como excepcionalmente precursora en un nuevo orden del gusto.

Se ha dicho, en efecto, que la casa Milá parece como el motivo de inspiración de la Torre Einstein de Mendelsson y de la sinagoga de Cleveland. En realidad, cada día encontramos más coincidencias y aproximaciones. La razón de ello está en que, después del necesario racionalismo representado por el movimiento funcionalista, el mundo siente

The roof of the Milà house, with its differences of level and its phantoms in stone and ceramic, is the «grand Guignol», as it were, of Gaudí's imaginative fancy, the tortuous rapture of a visionary whose personality, anticipating time, would later appear as the outstanding forerunner of a new order of taste.

It has been said, indeed, that the Milà house would seem to have provided the inspiration for Mendelsson's Einstein Tower and the Cleveland synagogue, and it must be admitted that we continually find more coincidences and approximations. The reason for this is that, after the necessary rationalism represented by the functionalist movement, the world begins to feel once more a necessity for sensitized forms. The interest aroused by Gaudí in recent years is, in fact, due to

103. Maison Milá. Détail de la porte d'entrée.
104 et 105. Aspects extérieurs de la Maison Milá.
106. Détail de la terrasse de la Maison Milá, avec au fond les tours de la Sagrada Familia.
107 à 115. Cheminées et tuyaux de ventilation de la Maison Milá.

103. Haus Milá. Detail der Eingangstür.
104 und 105. Aussenansichten des Hauses Milá.
106. Detail des Daches von Haus Milá: im Hintergrund die Türne der Sagrada Familia.
107 bis 115. Kamine und Entlüftungsschlote des Hauses Milá.

106

una nueva necesidad de sensibilización de las formas. El interés que ha despertado Gaudí en estos últimos años se debe precisamente a esto, a su libertad imaginativa aplicada a la función de las estructuras. Sweeney y Sert dicen que este factor es lo que hace de Gaudí un gran iniciador de la arquitectura moderna, es decir, «su coraje, su investigación persistente, su oposición al historicismo académico, su actitud ante los nuevos métodos de construcción».

Estamos, sin embargo, al principio. Es seguro que la fama de Gaudí no dejará de crecer gloriosamente en el tiempo futuro.

JUAN PERUCHO

this, to his imaginative liberty applied to the function of structures. Sweeney and Sert say that it is this factor which makes Gaudí a great initiator of modern architecture, that is to say, «his courage, his untiring research, his opposition to academic historicism, his attitude in the face of the new methods of building».

We are still, however, only at the beginning. It is quite certain that Gaudí's fame will not fail to grow gloriously in years to come.

JUAN PERUCHO

111 112

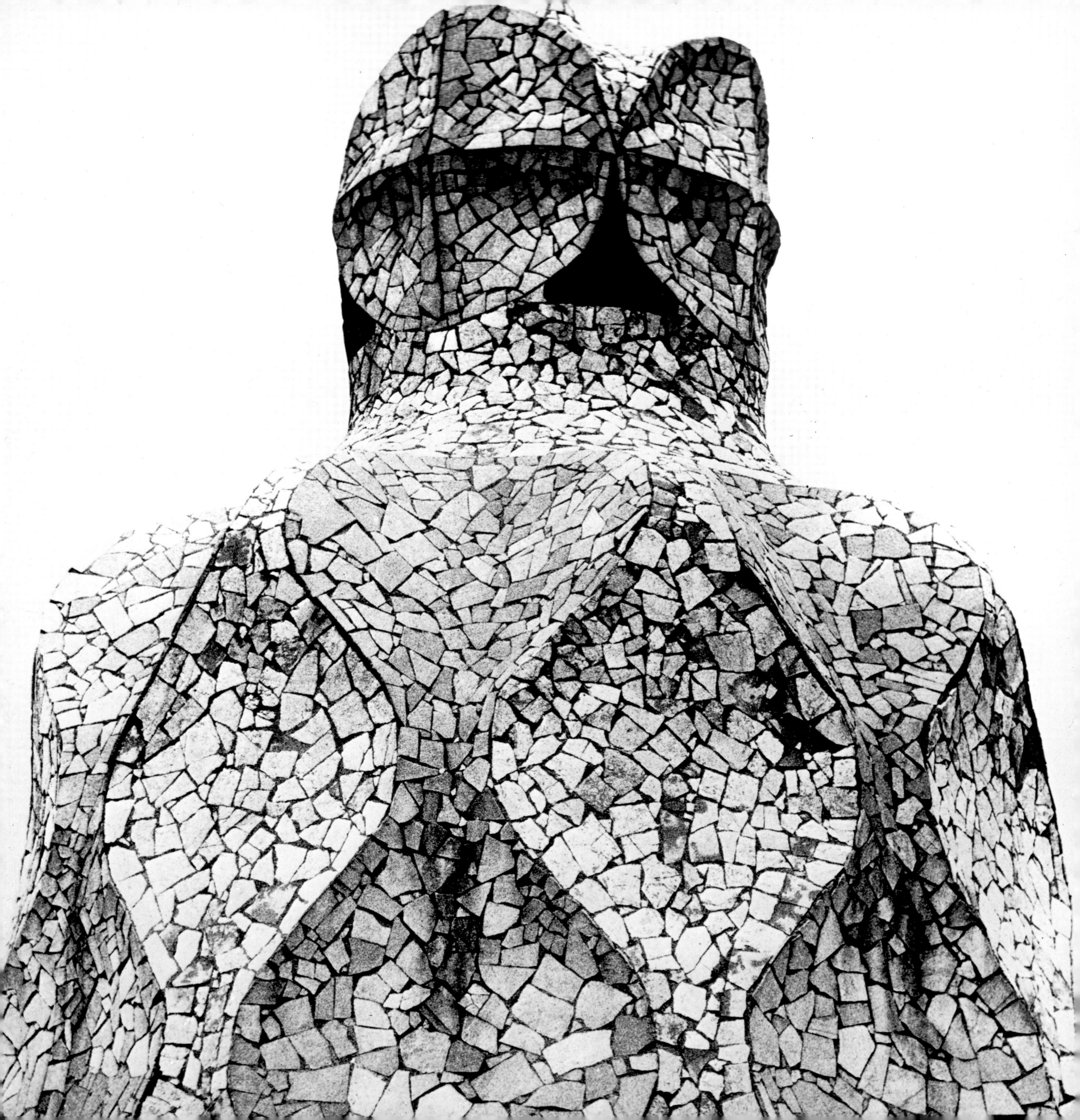

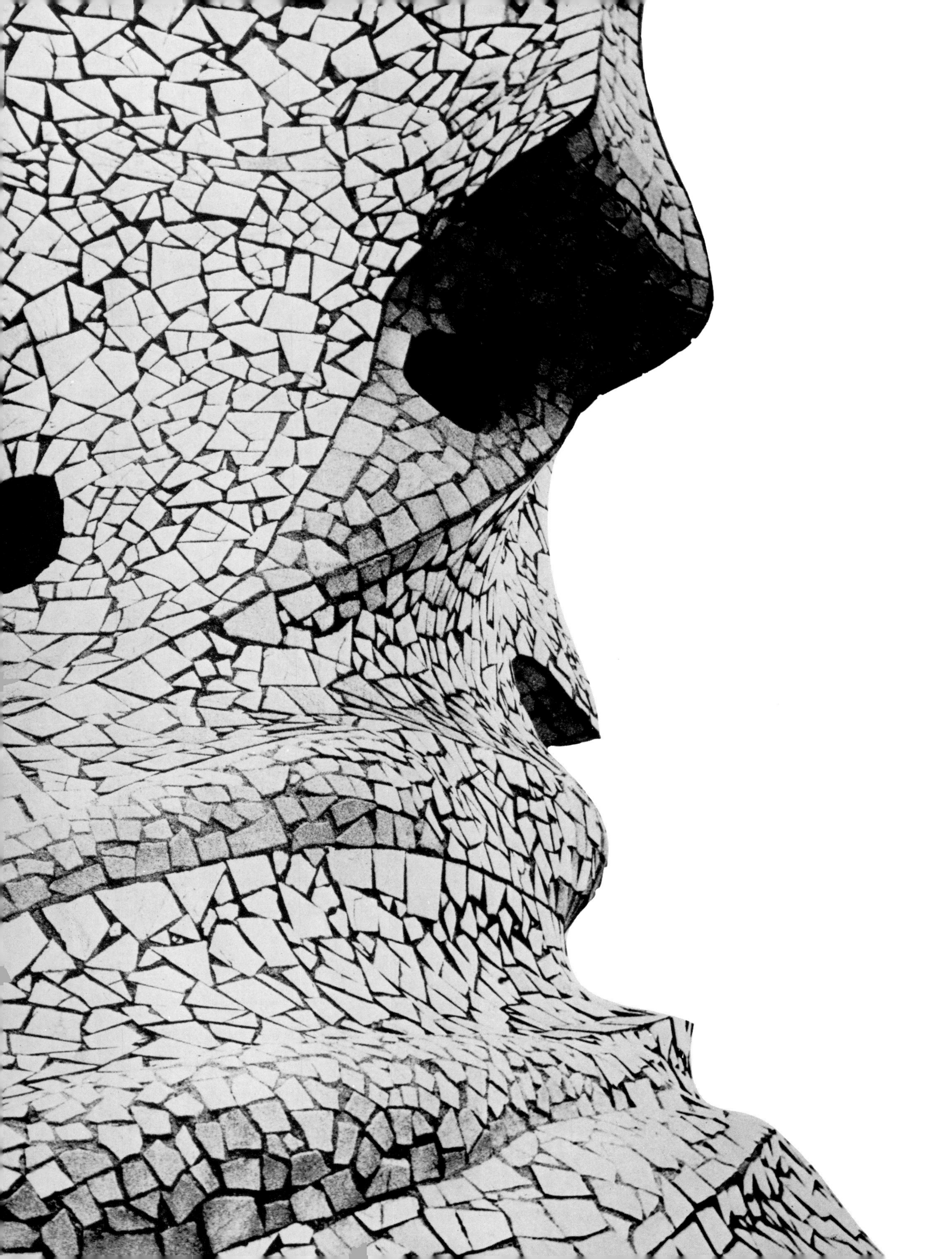

CRONOLOGIA BIOGRAFICA DE ANTONIO GAUDI

1852. Nace Antonio Gaudí y Cornet el día 25 de junio en Reus, ciudad de la provincia de Tarragona. Se han suscitado recientemente algunas polémicas respecto al lugar exacto de su nacimiento, aunque, parece ser, con escaso fundamento. Fue el menor de los cinco hijos del matrimonio. Su padre, natural de Riudoms, era calderero, y Antonio Gaudí, desde pequeño, se familiarizó con este trabajo artesanal. De carácter enfermizo, pasó muchas temporadas en el «Mas de la Calderera», propiedad familiar situada en Riudoms. Asistió en Reus, tempranamente, a la escuela de Francisco Berenguer, en la calle de Monterols.

1863. Ingresa en el Colegio de Segunda Enseñanza de los Padres Escolapios comenzando el Bachillerato. Estrecha su amistad con Eduardo Toda y Güell, el futuro restaurador del monasterio de Poblet.

1867. Funda, con Toda y otro condiscípulo, José Ribera y Sans, la revista manuscrita *El Arlequín*, colaborando en ella Gaudí con varios de sus dibujos.

1869. Visita, durante el verano y en compañía de Toda y Ribera, las ruinas del monasterio de Poblet. Gaudí redacta un proyecto de reconstrucción que es el primer manuscrito que de éste se conserva en la actualidad.

1872. No consta el año de su traslado a Barcelona, pero en 1873 ingresa en la Escuela Superior de Arquitectura de esta ciudad, y unos años después fallece su hermano Francisco, que había acabado la carrera de Medicina. Asiste irregularmente a las clases y trabaja para ganarse la vida. Asiste, en cambio, siempre que puede, a las clases universitarias de Xavier Llorens y Barba y de Manuel Milá y Fontanals, dos figuras de positiva importancia y proyección en el renacer cultural de Cataluña.

1875-1877. Colabora con el arquitecto Francisco de Paula Villar en el Camarín de Nuestra Señora del Monasterio de Montserrat.

1877-1878. Colabora con el maestro de obras José Fontseré en la cascada del Parque de la Ciudadela, cuyo depósito de aguas se realiza de acuerdo con un proyecto suyo. Diseña las farolas de la Plaza Real, en virtud de un concurso municipal, y los muebles para la capilla-panteón de Comillas.

1878. Obtiene el título de arquitecto. Realiza un proyecto urbanístico que es expuesto en la Exposición Mundial de París del mismo año, así como el stand de la guantería de Esteban Comellas para la misma Exposición.

BIOGRAPHICAL CHRONOLOGY OF ANTONIO GAUDI

1852. Antonio Gaudí y Cornet was born on June 25th in Reus, a city in the province of Tarragona. Some controversy has recently arisen with regard to the exact birthplace, but it is apparently ill-founded. He was the youngest of five children. His father, a native of Riudoms, was a boilermaker, and Antonio Gaudí became familiar with this trade from an early age. Being of delicate health, he spent many periods in the «Mas de la Calderera», a family property in Riudoms. He started school at an early age in Reus, in the school of Francisco Berenguer in the Calle de Monterols.

1863. He began his secondary studies in the School of the Piarist Fathers and became friendly with Eduardo Toda y Güell, the future restorer of the monastery of Poblet.

1867. With Toda and another schoolfellow, José Ribera y Sans, he founded the manuscript magazine El Arlequín, *contributing several of his sketches.*

1869. During the summer, in the company of Toda and Ribera, he visited the ruins of the monastery of Poblet. Gaudí drew up a project of reconstruction which is the first manuscript of his still preserved.

1872. The date of his move to Barcelona is not recorded, but in 1873 he entered the Higher School of Architecture of this city and some years later his brother Francisco, who had finished his medical studies, died. Gaudí attended classes irregularly and worked for his living. He attended, however, whenever he could, the university lectures of Xavier Llorens y Barba and Manuel Milá y Fontanals, two of the most important figures in the cultural renaissance of Catalonia.

1875-1877. Collaborated with the architect Francisco de Paula Villar on the Niche of Our Lady in the monastery of Montserrat.

1877-1878. Collaborated with the master builder José Fontseré on the cascade of the Ciudadela Park, the water tanks of which were carried out according to a design of his. Designed the lampposts for the Plaza Real in a municipal competition, and the furniture for the chapel-mausoleum of Comillas.

1878. Qualified as an architect. Carried out a project for a housing development which was exhibited at the Paris World Exhibition in the same year, also the stand for the Esteban Comellas glove factory at the same exhibition.

CHRONOLOGIE BIOGRAPHIQUE D'ANTONIO GAUDI

1852. Le 25 juin, Antonio Gaudí et Cornet nait à Reus, une ville de la province de Tarragone. Certaines polémiques ont été soulevées naguère sur l'endroit exact de sa naissance quoique, semble-t-il, sans grand fondement. Il était le plus jeune des cinq enfants de ses parents. Son père, né à Riudoms, était chaudronnier, et Antonio Gaudí s'est familiarisé dès son enfance avec ce travail artisanal. Il était d'une nature maladive et a fait de nombreux séjours au «Mas de la Calderera» que sa famille possédait à Riudoms. Il est entré bientôt à l'école de Francisco Berenguer, rue de Monterols, à Reus.

1863. Il entre au Collège d'Enseignement Secondaire des Pères des Ecoles Chrétiennes. Il s'y lie d'amitié avec Eduardo Toda y Güell, qui devait être le restaurateur du monastère de Poblet.

1867. Il fonde, avec Toda et un autre camarade d'études, José Ribera y Sans, la revue manuscrite *El Arlequín*, à laquelle il collabore avec plusieurs dessins.

1869. Pendant l'été, il visite, avec Toda et Ribera, les ruines du monastère de Poblet. Gaudí rédige un projet de restauration qui est le premier de ses manuscrits que nous conservions actuellement.

1872. On ne connaît pas la date de son arrivée à Barcelone, mais en 1873 il entre à l'Ecole Supérieure d'Architecture de cette ville. Quelques années plus tard, son frère Francisco, qui avait fini ses études de médecine, meurt. Antoine travaille pour gagner sa vie et assiste aux cours d'une façon irrégulière. En revanche, il assiste aussi souvent qu'il le peut aux cours universitaires de Xavier Llorens y Barba et de Manuel Milá y Fontanals, deux personnages d'une importance et d'un rayonnement considérables dans la renaissance culturelle de la Catalogne.

1875-1877. Il travaille avec l'architecte Francisco de Paula Villar au «Camarín» de Notre Dame du Monastère de Montserrat.

1877-1878. Il collabore avec l'entrepreneur José Fontseré à la construction de la cascade du Parc de la Citadelle; le réservoir d'eau en a été construit selon ses plans. Il projette les lampadaires de la Plaza Real, ayant remporté un concours à ce sujet, et les meubles pour la chapelle funéraire de Comillas.

1878. Il obtient le titre d'architecte. Il est l'auteur d'un projet d'urbanisme envoyé à l'Exposition Mondiale de Paris de cette même année, ainsi que du stand que la ganterie d'Esteban Comellas installe dans cette même Exposition.

ANTONIO GAUDI. BIOGRAPHISCHE CHRONOLOGIE

1852. Antonio Gaudí y Cornet wird am 25. Juni in Reus in der Provinz Tarragona geboren. Kürzlich sind einige Zweifel über seinen genauen Geburtsort laut geworden, die jedoch kaum fundiert sind. Er ist der jüngste von fünf Geschwistern. Sein Vater, der aus Riudoms stammte, war Kesselschmied, und Antonio wird von Kind an mit diesem Handwerk vertraut. Da er kränklich ist, verbringt er oft längere Zeit des Jahres im «Mas de la Calderera», einem Familienbesitz in Riudoms. Schon früh besucht er in Reus die Schule «Francisco Berenguer» in der Strasse Monterols.

1863. Er tritt in das Gymnasium der Piaristen ein, an dem er später die Reifeprüfung ablegt. Seine Freundschaft mit Eduardo Toda y Güell, dem späteren Restaurator des Klosters Poblet, festigt sich.

1867. Zusammen mit Toda und einem anderen Mitschüler, José Ribera y Sans, gründet er die handschriftlich verbreitete Zeitung El Arlequin, *zu der Gaudí mit mehreren seiner Zeichnungen beiträgt.*

1869. Im Sommer besucht er zusammen mit Toda und Ribera die Ruinen des Klosters Poblet. Gaudí entwirft ein Rekonstruktionsprojekt, welches das erste von ihm heute erhaltene Manuskript ist.

1872. Das Jahr seiner Übersiedelung nach Barcelona steht nicht genau fest, doch tritt er 1873 in die Architektenhochschule ein. Einige Jahre später stirbt sein Bruder Francisco, der sein Medizinstudium abgeschlossen hatte. Er nimmt nur unregelmässig an den Vorlesungen teil und arbeitet für seinen Lebensunterhalt. Hingegen besucht er so oft wie möglich die Universitätsvorlesungen von Xavier Llorens y Barba und Manuel Milá y Fontanals, zwei Persönlichkeiten von positiver Bedeutung für die kulturelle Wiederbelebung Kataloniens.

1875-1877. Zusammenarbeit mit dem Architekten Francisco de Paula Villar am Marienschrein des Klosters Montserrat.

1877-1878. Zusammenarbeit mit dem Architekten José Fontseré an der Kaskade im Park der Zitadelle, deren Wasserdepot nach seinen Plänen konstruiert wird. In einem städtischen Wettbewerb entwirft er die Laternen für die Plaza Real. Gleichzeitig macht er den Entwurf für das Mobiliar der Grabkapelle in Comillas.

1878. Verleihung des Architektendiploms. Er entwirft ein städtebauliches Projekt, das im gleichen Jahr auf der Weltausstellung von Paris gezeigt wird. Der Stand für Handschuhwaren von Esteban Comellas auf derselben Ausstellung ist ebenfalls sein Entwurf.

116. Capilla de la Colonia Güell. Santa Coloma de Cervelló.
117. Pabellones Güell., Pedralbes. Barcelona.
118. Casa Milá «La Pedrera». Barcelona.
119. Palacio Episcopal. Astorga.
120. Escuelas de la Sagrada Familia. Barcelona.
121. Finca Miralles. Barcelona.
122. Casa Botines. León.
123. Convento Teresiano. Barcelona.
124. «El Capricho». Comillas (Santander).
125. Casa Calvet. Barcelona.
126. Casa Batlló. Barcelona.
127. Parque Güell. Barcelona.
128. Sagrada Familia. Barcelona.
129. Casa Vicens. Barcelona.
130. Palacio Güell. Barcelona.
131. Bellesguard. Barcelona.
132. Pabellones del Parque Güell. Barcelona.

116. Chapel of the Güell Colony. Santa Coloma de Cervelló.
117. The Güell Pavilions. Pedralbes, Barcelona.
118. The Milà House, otherwise known as «The Quarry». Barcelona.
119. The Archbishop's Palace. Astorga.
120. Schools of the Holy Family. Barcelona.
121. The Miralles property. Barcelona.
122. The Botines House. León.
123. The Convent of the Teresians. Barcelona.
124. «El Capricho». Comillas (Santander).
125. The Calvet House. Barcelona.
126. The Batlló House. Barcelona.
127. The Güell Park. Barcelona.
128. The Sagrada Familia. Barcelona.
129. The Vicens House. Barcelona.
130. The Güell Palace. Barcelona.
131. Bellesguard. Barcelona.
132. Pavilions in the Güell Park. Barcelona.

116

117

18

119

120

122

123

124

125

126

128

129

130

127

131

132

116. Chapelle de la Colonie Güell. Santa Coloma de Cervelló.
117. Pavillons Güell, Pedralbes. Barcelona.
118. Maison Milá, «La Pedrera». Barcelona.
119. Palais épiscopal. Astorga.
120. Ecoles de la Sagrada Familia. Barcelona.
121. Propriété Miralles. Barcelona.
122. Maison Botines. León.
123. Couvent Thérésien. Barcelone.
124. «El Capricho», «Le Caprice». Comillas (Santander).
125. Maison Calvet. Barcelona.
126. Maison Batlló. Barcelona.
127. Parc Güell. Barcelona.
128. Sagrada Familia. Barcelona.
129. Maison Vicens. Barcelona.
130. Palais Güell. Barcelona.
131. Bellesguard. Barcelona.
132. Pavillons du Parc Güell. Barcelona.

116. Kapelle der Kolonie Güell. Santa Coloma de Cervelló.
117. Pavillons Güell, Pedralbes. Barcelona.
118. Haus Milá, «La Pedrera». Barcelona.
119. Bischöflicher Palast. Astorga.
120. Schulgebäude der Sagrada Familia. Barcelona.
121. Besitz Miralles. Barcelona.
122. Haus Botines. León.
123. Theresienkonvent. Barcelona.
124. «El Capricho». Comillas (Santander).
125. Haus Calvet. Barcelona.
126. Haus Batlló. Barcelona.
127. Park Güell. Barcelona.
128. Sagrada Familia. Barcelona.
129. Haus Vicens. Barcelona.
130. Palast Güell. Barcelona.
131. Bellesguard. Barcelona.
132. Pavillons der Parks Güell. Barcelona.

1878-1880. Casa Vicens en la calle de Las Carolinas. El edificio se amplió en 1925 por el arquitecto Juan B. de Serra Martínez, pero con estricta sumisión al espíritu de Gaudí.

1878-1882. Sala de Máquinas de la sociedad cooperativa «La Obrera Mataronense». Usa, por primera vez, la parábola.

1879. Farmacia Gibert, hoy desaparecida, en el Paseo de Gracia.

1883. «El Capricho», en Comillas (Santander), realizado por encargo de don Máximo Díaz de Quijano, pariente del Marqués de Comillas. Es una residencia de verano. También proyectó una capilla para la iglesia parroquial de Alella, proyecto que ha sido descubierto en 1959.

1883. Gaudí comienza los trabajos de la Sagrada Familia. El templo se debió a la iniciativa del librero barcelonés José M.ª Bocabella Verdaguer, fundador en 1866 de la «Asociación de Devotos de San José» y de «El Propagador de la Devoción de San José». Se efectuó una suscripción popular a tal objeto y se encargaron las obras, en un principio, al arquitecto diocesano Francisco de P. del Villar, el cual concibió una iglesia de estilo neo-gótico. Discrepancias surgidas posteriormente determinaron la renuncia de Del Villar, siendo ofrecida la dirección de la obra al arquitecto Juan Martorell. Éste no aceptó, sin embargo, y propuso a Antonio Gaudí. En diciembre de 1884 éste firmaba el proyecto del altar de San José para la cripta del templo.

1883. Vivienda del guardián y establo de una finca de don Eusebio Güell en Pedralbes. Eusebio Güell Bacigalupi, nacido en Barcelona el 15 de diciembre de 1846, fue el más decidido protector de Antonio Gaudí, al que encargó varias obras de importancia. Fue un gran promotor de empresa y uno de los hombres importantes de la Barcelona de aquel tiempo.

1885-1889. Palacio Güell en la calle del Conde del Asalto. Pinturas murales realizadas por Clapés.

1887. Palacio episcopal de Astorga, con intervención de artesanos catalanes llevados allí exprofeso. Gaudí deja de intervenir en la construcción del edificio en 1893. Realiza, en compañía del segundo Marqués de Comillas, un viaje por Andalucía y Marruecos y construye el pabellón de la Compañía Transatlántica para la Exposición Naval de Cádiz.

1878-1880. The Vicens house in the Calle de Las Carolinas. The building was enlarged in 1925 by the architect Juan B. de Serra Martínez, but closely following the ideas of Gaudí.

1878-1882. Engine room for the cooperative society «La Obrera Mataronense». Used the parabola for the first time.

1879. The Gibert pharmacy, no longer standing, in the Paseo de Gracia.

1883. «El Capricho», in Comillas (Santander), commissioned by Don Máximo Díaz de Quijano, a relative of the Marquis of Comillas. It is a summer residence. He also designed a chapel for the parish church of Alella, a design discovered in 1959.

1883. Gaudí began work on the church of the Holy Family. This church was begun on the initiative of the Barcelona bookseller José María Bocabella Verdaguer, founder in 1866 of the «Association of Devotees of St. Joseph» and of «El Propagador de la Devoción de San José». A public subscription was organized for the purpose and the work was first entrusted to the diocesan architect, Francisco de P. del Villar, who designed a church in Neo-Gothic style. Differences arose later and Del Villar resigned, the work being then offered to the architect Juan Martorell. The latter, however, did not accept and suggested Antonio Gaudí. In December of 1884 Gaudí signed the design of the altar of St. Joseph for the crypt of the church.

1883. Gamekeeper's house and stable in an estate belonging to Don Eusebio Güell in Pedralbes. Eusebio Güell Bacigalupi, born in Barcelona on December 15th, 1846, was the most decided patron of Antonio Gaudí, from whom he commissioned several important works. He was a great business promotor and one of the most important men in Barcelona at that time.

1885-1889. The Güell Palace in the Calle del Conde del Asalto. Murals painted by Clapés.

1887. Episcopal palace of Astorga, much of the work being done by Catalan craftsmen taken there for the purpose. Gaudí gave up work on this building in 1893. He accompanied the second Marquis of Comillas on a journey through Andalusia and Morocco and built the pavilion of the Compañía Transatlántica for the Cadiz Naval Exhibition.

1878-1880. Maison Vicens, rue de Las Carolinas. Le bâtiment a été agrandi en 1925 par l'architecte Juan B. de Serra Martínez mais avec la plus rigoureuse fidélité à l'esprit de Gaudí.

1878-1882. Salle de machines de la société coopérative «La Obrera Mataronense». C'est là qu'il emploie pour la première fois la parabole.

1879. La pharmacie Gibert, aujourd'hui disparue, du Paseo de Gracia.

1883. «El Capricho», à Comillas (Santander), construit sur commande de Don Máximo Díaz de Quijano, un parent du Marquis de Comillas. C'est une villa d'été. Gaudí a projeté aussi une chapelle pour l'église paroissiale d'Alella; ce projet a été découvert en 1959.

1883. Gaudí se charge de la direction des travaux de la Sagrada Familia dont la construction était une initiative du libraire barcelonais José M. Bocabella Verdaguer qui en 1866 avait fondé l'Association de Dévots de Saint Joseph et «El Propagador de la Devoción de San José». Pour les entreprendre on avait effectué une souscription populaire et ils avaient d'abord été confiés à l'architecte de l'évêché Francisco de P. del Villar, lequel avait conçu une église de style néo-gothique. Par la suite, certains désaccords ont amené Del Villar à renoncer à la commande qui lui avait été faite et la direction des travaux a été offerte à l'architecte Juan Martorell. Celui-ci, toutefois, n'a pas accepté et a proposé Antonio Gaudí. En décembre 1884, celui-ci signait le projet de l'autel de Saint Joseph pour la crypte de l'église.

1883. Le pavillon du gardien et une écurie dans une propriété de Don Eusebio Güell, à Pedralbes. Eusebio Güell Bacigalupi, né à Barcelone le 15 décembre 1846, a été le protecteur le plus décidé d'Antonio Gaudí et il lui a fait plusieurs commandes importantes. Ce fut un grand promoteur d'entreprises et l'un des personnages les plus en vue de la Barcelone de son époque.

1885-1889. Palais Güell, rue Conde del Asalto. Peintures murales de Clapés.

1887. Construction du palais épiscopal d'Astorga, dans laquelle interviennent des artisans catalans déplacés dans ce dessein. Gaudí s'écarte des travaux de cet édifice en 1893. Il fait, avec le second Marquis de Comillas, un voyage en Andalousie et au Maroc et il construit le pavillon de la Compagnie Transatlantique de l'Exposition Navale de Cadix.

1878-1880. Haus Vicens in der Strasse Las Carolinas. Das Gebäude wird 1925 von dem Architekten Juan B. de Serra Martínez in genauer Übereinstimmung mit den Gaudíschen Ideen erweitert.

1878-1882. Maschinensaal für die Genossenschaft «La Obrera Mataronense». Zum ersten Mal wendet er die Parabel an.

1879. Apotheke Gibert auf dem Paseo de Gracia, heute nicht mehr erhalten.

1883. «El Capricho» in Comillas (Santander). Der Auftrag für dieses Landhaus kommt von Máximo Díaz de Quijano, einem Verwandten des Marqués de Comillas. Ausserdem macht er den Entwurf zu einer Kapelle in der Pfarrkirche von Alella, der 1959 entdeckt wurde.

1883. Gaudí beginnt mit den Arbeiten zur Sagrada Familia. Der Kirchenbau ist der Initiative des Buchhändlers José M.ª Bocabella Verdaguer aus Barcelona zu verdanken, der im Jahr 1866 die «Asociación de Devotos de San José» (Vereinigung der Verehrer des Hl. Joseph) und «El Propagador de la Devoción de San José» (Verbreiter der Verehrung des Hl. Joseph) gründete. Zur Bestreitung der Baukosten wird eine öffentliche Sammlung veranstaltet. Mit den Bauarbeiten war zunächst der Architekt der Diözese, Francisco de P. del Villar, beauftragt, der eine Kirche im neogotischen Stil entwarf. Später auftauchende Meinungsverschiedenheiten führten zum Rücktritt Del Villars. Die Bauleitung wird dem Architekten Juan Martorell angetragen, der sie jedoch ablehnt und Antonio Gaudí vorschlägt. Im Dezember 1884 unterzeichnet dieser den Entwurf des St.-Josephs-Altars für die Krypta der Kirche.

1883. Pförtnerhaus und Stallungen für den Besitz Eusebio Güells in Pedralbes. Eusebio Güell Bacigalupi, geboren in Barcelona am 15. Dezember 1846, war ein einflussreicher Unternehmer und eine der wichtigsten Persönlichkeiten im Barcelona jener Zeit. Er wird zum entschiedensten Förderer Antonio Gaudís, dem er mehrere bedeutende Aufträge erteilt.

1885-1889. Palast Güell in der Strasse Conde del Asalto. Die Wandmalereien stammen von Clapés.

1887. Bischöflicher Palast in Astorga unter Mitwirkung katalanischer Handwerker, die eigens nach dort gebracht werden. Gaudí gibt seine Mitarbeit an diesem Bau im Jahr 1893 auf. In Begleitung des zweiten Marqués de Comillas macht er eine Reise durch Andalusien und Marokko und baut den Pavillon der Compañía Transatlántica für die Schiffahrtsausstellung in Cádiz.

1888. Año de la Exposición Universal de Barcelona, llevada a cabo gracias al tesón del alcalde de la ciudad Rius y Taulet. Gaudí, no obstante, no realiza en ella ninguna obra importante, y sí sólo el Pabellón, en estilo morisco, de la Compañía Transatlántica.

1889-1894. Convento para el Colegio de Santa Teresa de Jesús, en la calle de Ganduxer.

1891. Comienzo del portal este del templo de la Sagrada Familia.

1892-1894. Proyecto para la Casa Misional de los Franciscanos, en Tánger. «Casa Botines», en León.

1895. Proyecto de la tumba de la familia Güell.

1898. Colonia Güell, en Santa Coloma de Cervelló. Las obras se detienen en 1914. Es una de las más bellas obras de Gaudí y representa un ensayo de los métodos a emplear en la Sagrada Familia.

1898-1904. Casa Calvet en la calle de Caspe.

1900. Parque Güell. Se suspenden las obras en 1914.

1900-1902. Residencia «Bellesguard».

1904. Primer misterio de la Montaña de Montserrat. «Sala Mercè», recinto para festivales, hoy desaparecido.

1904-1914. Restauración de la catedral gótica de Palma de Mallorca.

1905-1907. Casa Batlló, en la «manzana de la discordia», llamada así por haberse construido un edificio de Doménech i Montaner y otro de J. Puig i Cadafalch.

1906. Ultimo artículo de Juan Maragall sobre la Sagrada Familia.

1909. Edificio para la escuela de la Sagrada Familia. Techo alabeado.

1910. Exposición en la «Société Nationale des Beaux Arts», en París, de diversos aspectos de la obra realizada por Gaudí.

1925. Proyecto para la colonia Calvet, en Torelló.

1926. El día 7 de junio es atropellado Gaudí por un tranvía, falleciendo tres días después en el antiguo Hospital de la Santa Cruz.

1888. Year of the Barcelona Universal Exhibition, held thanks to the tenacity of the mayor of the city, Rius y Taulet. Gaudí, however, did not do any important work for the exhibition, only the Pavilion, in Moorish style, of the Compañía Transatlántica.

1889-1894. Convent for the School of Santa Teresa de Jesús, in the Calle de Ganduxer.

1891. Beginning of the east façade of the church of the Holy Family.

1892-1894. Project for the Missionary House of the Franciscans in Tangier. The «Casa Botines» in Leon.

1895. Project for the Güell Family tomb.

1898. The Güell Colony in Santa Coloma de Cervelló. Work was stopped in 1914. This is one of Gaudí's most beautiful works and constitutes a trial of the methods to be used in the Holy Family.

1898-1904. The Calvet house in the Calle de Caspe.

1900. The Güell Park. Work was suspended in 1914.

1900-1902. The Bellesguard Residence.

1904. First mystery of the Mountain of Montserrat. The «Sala Mercè», a hall for festivals, since vanished.

1904-1914. Restoration of the Gothic cathedral of Palma de Mallorca.

1905-1907. The Batlló house in the «block of discord», so called because there was one house by Doménech i Montaner and another by J. Puig i Cadafalch.

1906. Last article by Juan Maragall on the Holy Family.

1909. Building for the school of the Holy Family. Curving roof.

1910. Exhibition in the «Société Nationale des Beaux Arts», in Paris, of various aspects of Gaudí's work.

1925. Project for the Calvet colony, in Torelló.

1926. On June 7th Gaudí was knocked down by a tram; he died three days later in the old Hospital of the Holy Cross.

1888. C'est l'année de l'Exposition Universelle de Barcelone, qui a lieu grâce a la ténacité du maire de la ville, Rius y Taulet. Gaudí, toutefois, n'y accomplit aucun ouvrage important, si ce n'est le pavillon, en style mauresque, de la Compagnie Transatlantique.

1889-1894. Couvent pour le Collège de Sainte Thérèse de Jésus, rue de Ganduxer.

1891. Premiers travaux du portail Est du temple de la Sagrada Familia.

1892-1894. Projet pour la Maison des Franciscains Missionnaires, à Tanger. «Casa Botines», à Léon.

1895. Projet du caveau de la famille Güell.

1898. Colonia Güell, à Santa Coloma de Cervelló. Les travaux en ont été arrêtés en 1914. C'est une des plus belles oeuvres de Gaudí et elle constitue un essai des méthodes qu'il appliquera dans la Sagrada Familia.

1898-1904. Maison Calvet de la rue Caspe.

1900. Parc Güell. Les travaux en sont arrêtés en 1914.

1900-1902. Résidence «Bellesguard».

1904. Premier «mystère» de la Montagne de Montserrat. «Sala Mercè», local pour festivals aujourd'hui disparu.

1904-1914. Restauration de la cathédrale gothique de Palma de Majorque.

1905-1907. Maison Batlló, dans l'«îlot de la discorde», ainsi appelé parce qu'il y a aussi un édifice de Domènech i Montaner et un autre de J. Puig i Cadafalch.

1906. Dernier article de Juan Maragall sur la Sagrada Familia.

1909. Bâtiment pour l'école de la Sagrada Familia. Toit gauchi.

1910. Exposition à la Société Nationale des Beaux-Arts, à Paris, de plusieurs aspects de l'oeuvre accomplie par Gaudí.

1925. Projet pour la «Colonia Calvet», de Torelló.

1926. Le 7 juin, Gaudí est renversé par un tramway. Il meurt trois jours plus tard dans l'ancien Hôpital de la Sainte Croix.

1888. Jahr der Weltausstellung in Barcelona, die dank der Beharrlichkeit des Stadtbürgermeisters, Rius y Taulet, zustande kommt. Gaudí jedoch hat an ihr mit keinem bedeutenden Werk Anteil und konstruiert lediglich den Pavillon in maurischem Stil für die Compañía Transatlántica.

1889-1894. Konvent für das Colegio de Santa Teresa de Jesús in der Strasse Ganduxer.

1891. Beginn des Ostportals der Sagrada Familia.

1892-1894. Projekt für das Missionshaus der Franziskaner in Tanger. «Casa Botines» in León.

1895. Projekt für das Grab der Familie Güell.

1898. Kolonie Güell in Santa Coloma de Cervelló. 1914 werden die Arbeiten eingestellt. Ihre Kirche ist eines der schönsten Werke Gaudís und stellt einen Versuch über die Methoden dar, die bei der Sagrada Familia Anwendung finden sollten.

1898-1904. Haus Calvet in der Strasse Caspe.

1900. Park Güell. Die Arbeiten werden 1914 eingestellt.

1900-1902. Landhaus «Bellesguard».

1904. Das erste Mysterium auf dem Montserrat. «Sala Mercè», eine Stätte für öffentliche Veranstaltungen, die nicht mehr erhalten ist.

1904-1914. Restaurierung der gotischen Kathedrale von Palma de Mallorca.

1905-1907. Haus Batlló im «Häuserblock der Uneinigkeit», so genannt, weil hier ein Gebäude von Doménech i Montaner und ein anderes von J. Puig i Cadafalch errichtet wurden.

1906. Letzter Artikel von Juan Maragall über die Sagrada Familia.

1909. Schulgebäude der Sagrada Familia mit gekrümmtem Dach.

1910. Ausstellung in der «Société Nationale des Beaux Arts» in Paris, die verschiedene Aspekte des Gaudíschen Werkes zum Inhalt hat.

1925. Projekt für die Kolonie Calvet in Torelló.

1926. Am 7. Juni wird Gaudí von einer Strassenbahn überfahren und stirbt drei Tage später in dem alten Hospital de la Santa Cruz.

BIBLIOGRAFÍA SUMARIA

Damos, a continuación, un resumen de la bibliografía más importante hasta la fecha sobre la obra y la personalidad de Antonio Gaudí. El examen bibliográfico exhaustivo está hecho en las obras de Ráfols, Collins y Pane, y a ellos remitimos al lector estudioso que quiera adentrarse en la compleja problemática de Gaudí. Nuestro resumen ha sido establecido siguiendo un orden estrictamente cronológico.

CARDELLACH, FÉLIX: «*La mecànica d'En Gaudí*». La Veu de Catalunya, 20 de enero de 1906.

TAVANTI, UMBERTO: «*Un architetto indipendente: Antonio Gaudí*». «Vita d'arte». Siena, 1910.

MARTORELL, C.: «*En Gaudí a París*». La Veu de Catalunya, 23 de junio de 1910.

LAMPÉREZ Y ROMEU, VICENTE: «*El Salón de Arquitectura. Madrid 1911*». Anuario de la Asociación de Arquitectos de Cataluña, 1912.

ELÍAS, FELIU (JOAN SACS): «*En Gaudí creador*». Revista Nova, Barcelona, 23 de mayo de 1914.

«*Antoni Gaudí: La seva vida. Les seves obres. La seva mort*». Misceláneа de textos. Editorial Políglota. Barcelona, 1926.

MARTINELL, CÉSAR: «*Antoni Gaudí*». Revista de Catalunya. Julio 1926.

FOLCH I TORRES, JOAQUÍN: «*L'Arquitecte Gaudí*». Gaseta de les Arts. Barcelona, julio 1926.

BASSEGODA, BUENAVENTURA: «*Antonio Gaudí, el Dante de la Arquitectura*». La Vanguardia. Barcelona, 23 de junio de 1926.

PUJOLS, FRANCESC: «*La visió artística i religiosa d'En Gaudí*». Llibreria Catalònia. Barcelona, 1927.

FOLGUERA, FRANCESC: «*La arquitectura gaudiniana*». Editorial Canosa. Barcelona, 1929.

PUIG BOADA, ISIDRE: «*El Temple de la Sagrada Familia*». Editorial Barcino. 1932.

CASSOU, JEAN: «*Gaudí et le Baroque*». Formes, 1933.

TEIXIDOR, JUAN: «*La obra de Gaudí*». Destino. Barcelona, 8 de junio de 1946.

CIRICI PELLICER, A.: «*Los valores plásticos de Gaudí*». Proyectos y materiales. Nueva York, 1949.

ZEVI, BRUNO: «*Un genio catalano: Antonio Gaudí*». Metron. Roma, 1950.

ZEVI, BRUNO: «*Storia dell'architettura moderna*». Torino, 1950.

SOSTRES MALUQUER, José María: «*El funcionalismo y la nueva plástica*». Boletín de Información de la Dirección General de Arquitectura. Madrid, junio 1950.

CIRLOT, JUAN EDUARDO: «*El Arte de Gaudí*». Ediciones Omega. Barcelona, 1951.

CIRICI PELLICER, A.: «*El Arte modernista en Barcelona*». Editorial Aymá. Barcelona, 1951.

MARTINELL, CÉSAR: «*Gaudí: la Sagrada Familia comentada per ell mateix*». Barcelona, 1951.

RÁFOLS, J. F.: «*Gaudí. 1852-1926*». Editorial Aedos. Barcelona, 1952.

BRIEF BIBLIOGRAPHY

We give below a resumé of the most important bibliography to date on the work and personality of Antonio Gaudí. The complete bibliographical examination can be found in the works of Ráfols, Collins and Pane, and to them we refer the studious reader who wishes to make a more thorough study of the complex problems of Gaudí. The present resumé is arranged in strict chronological order.

CARDELLACH, FÉLIX: «*La mecànica d'En Gaudí*». La Veu de Catalunya, January 20th, 1906.

TAVANTI, UMBERTO: «*Un architetto indipendente: Antonio Gaudí*». «Vita d'arte». Sienna, 1910.

MARTORELL, C.: «*En Gaudí a París*». La Veu de Catalunya, June 23rd, 1910.

LAMPÉREZ Y ROMEU, VICENTE: «*El Salón de Arquitectura. Madrid 1911*». Yearbook of the Catalan Architects' Association, 1912.

ELIAS, FELIU (JOAN SACS): «*En Gaudí creador*». Revista Nova. Barcelona, May 23rd, 1914.

«*Antoni Gaudí: La seva vida. Les seves obres. La seva mort*». Misceláneа de textos. Editorial Políglota. Barcelona, 1926.

MARTINELL, CÉSAR: «*Antoni Gaudí*». Revista de Catalunya. July, 1926.

FOLCH I TORRES, JOAQUÍN. «*L'arquitecte Gaudí*». «Gaseta de les Arts». Barcelona, July, 1926.

BASSEGODA, BUENAVENTURA: «*Antonio Gaudí, el Dante de la Arquitectura*». «La Vanguardia». Barcelona, June 23rd, 1926.

PUJOLS, FRANCESC: «*La visió artística i religiosa d'En Gaudí*». Llibreria Catalònia. Barcelona, 1927.

FOLGUERA, FRANCESC: «*La arquitectura gaudiniana*». Editorial Carrosa. Barcelona, 1929.

PUIG BOADA, ISIDRE: «*El Temple de la Sagrada Familia*». Editorial Barcino. 1932.

CASSOU, JEAN: «*Gaudí et le Baroque*». Formes, 1933.

TEIXIDOR, JUAN: «*La obra de Gaudí*». Destino. Barcelona, June 8th, 1946.

CIRICI PELLICER, A.: «*Los valores plásticos de Gaudí*». Projects and materials. New York, 1949.

ZEVI, BRUNO: «*Un genio catalano: Antonio Gaudí*». Metron. Rome, 1950.

ZEVI, BRUNO: *Storia dell'architettura moderna*. Turín, 1950.

SOSTRES MALUQUER, JOSÉ MARÍA: «*El funcionalismo y la nueva plástica*». Boletín de Información de la Dirección General de Arquitectura. Madrid, June, 1950.

CIRLOT, JUAN EDUARDO: «*El Arte de Gaudí*». Ediciones Omega. Barcelona, 1951.

CIRICI PELLICER, A.: «*El Arte modernista en Barcelona*». Editorial Aymá. Barcelona, 1951.

MARTINELL, CÉSAR: «*Gaudí: la Sagrada Familia comentada per ell mateix*». Barcelona, 1951.

RÁFOLS, J. F.: «*Gaudí. 1852-1926*». Editorial Aedos. Barcelona, 1952.

BIBLIOGRAPHIE SOMMAIRE

Nous donnons ci-après un résumé de la bibliographie la plus importante à ce jour sur l'oeuvre et la personnalité d'Antoine Gaudí. L'étude bibliographique exhaustive a été réalisée à travers les ouvrages de Ráfols, Collins et Pane, et nous y renvoyons le lecteur qui désirerait fouiller le problème complexe de Gaudí. Notre résumé a été établi suivant un ordre strictement chronologique.

CARDELLACH, FÉLIX: «*La mecànica d'en Gaudí*». La veu de Catalunya. 20 janvier 1906.

TAVANTI, UMBERTO: «*Un architetto indipendente: Antonio Gaudí*». «Vita d'arte». Sienne, 1910.

MARTORELL, C.: «*En Gaudí a París*». La Veu de Catalunya. 23 juin 1910.

LAMPÉREZ Y ROMEU, VICENTE: «*El Salón de Arquitectura. Madrid 1911*». Annuaire de l'Association d'Architectes de Catalogne. 1912.

ELÍAS, FELIU (JOAN SACS): «*En Gaudí creador*». Revista Nova. Barcelona. 23 mai 1914.

«*Antoni Gaudí: La seva vida. Les seves obres. La seva mort*». Miscelánea de textos. Editorial Políglota. Barcelone, 1926.

MARTINELL, CÉSAR: «*Antonio Gaudí*». Revista de Catalunya. Juillet 1926.

FOLCH I TORRES, JOAQUÍN: «*L'Arquitecte Gaudí*». Gaseta de les Arts. Barcelone, juillet 1926.

BASSEGODA, BUENAVENTURA: «*Antonio Gaudí, el Dante de la Arquitectura*». La Vanguardia. Barcelone, 23 juin 1926.

PUJOLS, FRANCESC: «*La visió artística i religiosa d'en Gaudí*». Llibreria Catalònia. Barcelone, 1927.

FOLGUERA, FRANCESC: «*La arquitectura gaudiniana*». Editorial Canosa. Barcelone, 1929.

PUIG BOADA, ISIDRE: «*El Temple de la Sagrada Familia*». Editorial Barcino. 1932.

CASSOU, JEAN: «*Gaudí et le Baroque*». Formes. 1933.

TEIXIDOR, JUAN: «*La obra de Gaudí*». Destino. Barcelone, 8 juin 1946.

CIRICI PELLICER, A.: «*Los valores plásticos de Gaudí*». Proyectos y materiales. New York, 1949.

ZEVI, BRUNO: «*Un genio catalano: Antonio Gaudí*». Metron. Rome, 1950.

ZEVI, BRUNO: «*Storia dell'architettura moderna*». Torino, 1950.

SOSTRES MALUQUER, JOSÉ MARÍA: «*El funcionalismo y la nueva plástica*». Boletín de Información de la Dirección General de Arquitectura. Madrid, juin 1950.

CIRLOT, JUAN EDUARDO: «*El Arte de Gaudí*». Ediciones Omega. Barcelone, 1951.

CIRICI PELLICER A.: «*El Arte modernista en Barcelona*». Editorial Aymá. Barcelone, 1951.

MARTINELL, CÉSAR: «*Gaudí: la Sagrada Familia comentada per ell mateix*». Barcelone, 1951.

RÁFOLS, J. F.: «*Gaudí. 1852-1926*». Editorial Aedos. Barcelone, 1952.

ZUSAMMENGEFASSTE BIBLIOGRAPHIE

Wir geben nachstehend eine Zusammenfassung der wichtigsten Schriften, die bis heute über das Werk und die Persönlichkeit Antonio Gaudís erschienen sind. Erschöpfende bibliographische Angaben werden in den Werken von Ráfols, Collins und Pane gemacht, auf die wir diejenigen Leser verweisen, die ganz in die vielschichtige Problematik Gaudís eindringen möchten. Unsere Zusammenfassung folgt einer streng chronologischen Ordnung.

CARDELLACH, FÉLIX: «*La mecànica d'En Gaudí*». La Veu de Catalunya. 20. Januar 1906.

TAVANTI, UMBERTO: «*Un architetto indipendente: Antonio Gaudí*» «Vita d'arte». Siena, 1910.

MARTORELL, C.: «*En Gaudí a París*». La Veu de Catalunya. 23. Juni 1910.

LAMPÉREZ Y ROMEU, VICENTE: «*El Salón de Arquitectura. Madrid 1911*». Anuario de la Asociación de Arquitectos de Cataluña. 1912.

ELÍAS, FELIU (JOAN SACS): «*En Gaudí creador*». Revista Nova. Barcelona. 23. Mai 1914.

«*Antonio Gaudí: La seva vida. Les seves obres. La seva mort*». Verschiedene Texte. Editorial Políglota. Barcelona, 1926.

MARTINELL, CÉSAR: «*Antoni Gaudí*». Revista de Catalunya. Juli 1926.

FOLCH I TORRES, JOAQUÍN: «*L'Arquitecte Gaudí*». Gaseta de les Arts. Barcelona, Juli 1926.

BASSEGODA, BUENAVENTURA: «*Antonio Gaudí, el Dante de la Arquitectura*». La Vanguardia. Barcelona, 23. Juni 1926.

PUJOLS, FRANCESC: «*La visió artística i religiosa d'En Gaudí*». Llibreria Catalonia. Barcelona, 1927.

FOLGUERA, FRANCESC: «*La arquitectura gaudiniana*». Editorial Canosa. Barcelona, 1929.

PUIG BOADA, ISIDRE: «*El Temple de la Sagrada Familia*». Editorial Barcino. 1932.

CASSOU, JEAN: «*Gaudí et le Baroque*». Formes. 1933.

TEIXIDOR, JUAN: «*La obra de Gaudí*». Destino. Barcelona, 8. Juni 1946.

CIRICI PELLICER, A.: «*Los valores plásticos de Gaudí*». Proyectos y materiales. New York, 1949.

ZEVI, BRUNO: «*Un genio catalano: Antonio Gaudí*». Metron. Rome, 1950

ZEVI, BRUNO: «*Storia dell'architettura moderna*». Turin, 1950.

SOSTRES MALUQUER, JOSÉ MARÍA: «*El funcionalismo y la nueva plástica*». Boletín de Información de la Dirección General de Arquitectura. Madrid, Juni 1950.

CIRLOT, JUAN EDUARDO: «*El Arte de Gaudí*». Ediciones Omega. Barcelona, 1951.

CIRICI PELLICER, A.: «*El Arte modernista en Barcelona*». Editorial Aymá. Barcelona, 1951.

MARTINELL, CÉSAR: «*Gaudí: la Sagrada Familia comentada per ell mateix*». Barcelona, 1951.

RÁFOLS, J. F.: «*Gaudí. 1852-1926.*» Editorial Aedos. Barcelona, 1952.

PEVSNER, NICOLAUS: «*The Strange Architecture of Antonio Gaudí*». The Listener. 7 de agosto de 1952.

BERGÓS, JUAN: «*Gaudí, l'home i l'obra*». Barcelona, 1954.

LE CORBUSIER: «*Gaudí*». Fotoscop Gomis-Prats. Editorial R. M. Barcelona, 1958.

SATORIS, ALBERTO: «*Poliformismo de Gaudí*». Papeles de Son Armadans. Tom. XV. Palma de Mallorca, 1959.

JOHNSON SWEENEY, JAMES AND SERT, JOSEP LLUIS: «*Antonio Gaudí*». Nueva York, 1960.

COLLINS, GEORGE R.: «*Antoni Gaudí*». Nueva York, 1960.

PANE, ROBERTO: «*Antoni Gaudí*». Edizioni di Comunità. Milano, 1964.

CASANELLES, E.: «*Nueva visión de Gaudí*». Ediciones Polígrafa. Barcelona, 1965.

PIEYRE DE MANDIARGUES, ANDRÉ: «*Plaisir à Gaudí*». «XXe siècle». n.º 25. París, 1965.

CIRLOT, JUAN EDUARDO: «*Introducción a la Arquitectura de Gaudí*». Editorial R. M. Barcelona, 1966.

MARTINELL, CÉSAR: «*Gaudí*». Colegio Oficial de Arquitectos de Cataluña y Baleares. Barcelona, 1967.

PEVSNER, NIKOLAUS: «*The Strange Architecture of Antonio Gaudí*». The Listener. August 7th, 1952.

BERGÓS, JUAN: «*Gaudí, l'home i l'obra*». Barcelona, 1954.

LE CORBUSIER: «*Gaudí*». Fotoscop Gomis-Prats. Editorial R. M. Barcelona, 1958.

SARTORIS, ALBERTO: «*Poliformismo de Gaudí*». Papeles de Son Armadans. Vol. XV. Palma de Mallorca, 1959.

JOHNSON SWEENEY, JAMES AND SERT, JOSEP LLUIS: «*Antonio Gaudí*». New York, 1960.

R. COLLINS, GEORGE: «*Antoni Gaudí*». New York, 1960.

PANE, ROBERTO: «*Antoni Gaudí*». Edizioni di Comunità. Milán, 1964.

CASANELLES, E.: «*Nueva visión de Gaudí*». Ediciones Polígrafa. Barcelona, 1965.

PIEYRE DE MANDIARGUES, ANDRÉ: «*Plaisir à Gaudí*». XXe siècle, n.º 25. París, 1965.

CIRLOT, JUAN EDUARDO: «*Introducción a la Arquitectura de Gaudí*». Editorial R. M. Barcelona, 1966.

MARTINELL, CÉSAR: «*Gaudí*». Colegio Oficial de Arquitectos de Cataluña y Baleares. Barcelona, 1967.

Pevsner, Nikolaus: «*The Strange Architecture of Antonio Gaudí*». The Listener 7 août 1952.

Bergós, Juan: «*Gaudí, l'home i l'obra*». Barcelone, 1954.

Le Corbusier: «*Gaudí*». Fotoscop Gomis-Prats. Editorial R. M. Barcelone, 1958.

Satoris, Alberto: «*Poliformismo de Gaudí*». Papeles de Son Armadans. Tome XV. Palma de Majorque, 1959.

Johnson Sweeney, James et Sert, Josep Lluis: «*Antonio Gaudí*». New York, 1960.

Collins, George R.: «*Antonio Gaudí*». New York, 1960.

Pane, Roberto: «*Antoni Gaudí*». Edizioni di Comunità». Milan, 1964.

Casanelles, E.: «*Nueva visión de Gaudí*». Ediciones Polígrafa. Barcelone, 1965.

Pieyre de Mandiargues, André: «*Plaisir à Gaudí*». «XXe siècle, n.º 25. París, 1965.

Cirlot, Juan Eduardo: «*Introducción a la Arquitectura de Gaudí*». Editorial R. M. Barcelona, 1966.

Martinell, César: «*Gaudí*». Colegio Oficial de Arquitectos de Cataluña y Baleares. Barcelone, 1967.

Pevsner, Nikolaus: «*The Strange Architecture of Antonio Gaudí*». The Listener. 7. August 1952.

Bergós, Juan: «*Gaudí, l'home i l'obra*». Barcelona, 1954.

Le Corbusier: «*Gaudí*». Fotoscop Gomis-Prats. Editorial R. M. Barcelona, 1958.

Satoris, Alberto: «*Poliformismo de Gaudí*». Papeles de Son Armadans. Bd. XV. Palma de Mallorca, 1959.

Johnson Sweeney, James and Sert, Josep Lluis: «*Antonio Gaudí*». New York, 1960.

Collins, George R.: «*Antoni Gaudí*». New York, 1960.

Pane, Roberto: «*Antonio Gaudí*». Edizioni di Comunità. Mailand, 1964.

Casanelles, E.: «*Nueva visión de Gaudí*». Ediciones Polígrafa. Barcelona, 1965.

Pieyre de Mandiargues, André: «*Plaisir à Gaudí*». «XXe siècle», n.º 25. París, 1965.

Cirlot, Juan Eduardo: «*Introducción a la Arquitectura de Gaudí*». Editorial R. M. Barcelona, 1966.

Martinell, César: «*Gaudí*». Colegio Oficial de Arquitectos de Cataluña y Baleares. Barcelona, 1967

INDICE DE OBRAS

INDEX OF PAINTINGS

INDEX DES REPRODUCTIONS

VERZEICHNIS DER WERKE

57. Detalle del vestíbulo de la Casa Batlló.

58. Detalle de la azotea de la Casa Batlló.

59 y 60. Detalle del ático y escalera. Casa Batlló.

61. Formas decorativas. Azotea Casa Batlló.

62 al 69. «Collage» cerámico de los bancos del Parque Güell.

70 al 77. Plafones decorativos realizados con desechos de cerámica (trencadís). Bancos del Parque Güell.

78 al 81. Detalles del tejado y pináculos de los pabellones del Parque Güell.

82. Vista general de la plaza del Parque Güell.

83 al 89. Fantasía cromática orientalistas. Parque Güell y Casa Batlló.

90 al 95. Detalles de estructuras pétreas, con carácter marcadamente primitivo, del Parque Güell.

96. Detalle de una verja diseñada por Gaudí. Parque Güell.

97 al 102. Detalles del Museo Gaudí. Obra de Berenguer, uno de los colaboradores de Gaudí. Situado dentro del Parque Güell.

103. Casa Milá. Detalle de la puerta de entrada.

104 y 105. Aspectos exteriores de la Casa Milá.

106. Detalle de la azotea de la Casa Milá, con las torres de la Sagrada Familia al fondo.

107 al 115. Chimeneas y tubos de ventilación de la Casa Milá.

116. Capilla de la Colonia Güell. Santa Coloma de Cervelló.

117. Pabellones Güell, Pedralbes. Barcelona.

118. Casa Milá «La Pedrera». Barcelona.

119. Palacio Episcopal. Astorga.

120. Escuelas de la Sagrada Familia. Barcelona.

121. Fincas Miralles. Barcelona.

122. Casa Botines. León.

123. Convento Teresiano. Barcelona.

124. «El Capricho». Comillas (Santander).

125. Casa Calvet. Barcelona.

126. Casa Batlló. Barcelona.

127. Parque Güell. Barcelona.

128. Sagrada Familia. Barcelona.

129. Casa Vicens. Barcelona.

130. Palacio Güell. Barcelona.

131. Bellesguard. Barcelona.

132. Pabellones del Parque Güell. Barcelona.

57. Detail of the entrance hall of the Batlló House.

58. Detail of the roof of the Batlló House.

59 & 60. Detail of the top floor and staircase. Batlló House.

61. Decorative forms. Roof of the Batlló House.

62-69. Ceramic collages on the benches in the Güell Park.

70-77. Decorative panels composed of ceramic fragments (trencadís). Benches in the Güell Park.

78-81. Details of the roof and pinnacles of the pavilions of the Güell Park.

82. General view of the main piazza of the Güell Park.

83-89. Orientalist chromatic fantasies. Güell Park and Batlló House.

90-95. Details of stone structures, of noticeably primitive characteristics, in the Güell Park.

96. Detail of a grating designed by Gaudí. Güell Park.

97-102. Details of the Gaudí Museum. This is the work of Berenguer, one Gaudí's assistants, and is located behind the Güell Park.

103. The Milà House. Detail of the front door.

104 & 105. Exterior views of the Milà House.

106. Detail of the roof of the Milà House, with the towers of the Holy Family in the distance.

107-115. Chimneys and ventilation ducts of the Milà House.

116. Chapel of the Güell Colony. Santa Coloma de Cervelló.

117. The Güell Pavilions. Pedralbes, Barcelona.

118. The Milà House, otherwise known as «The Quarry». Barcelona.

119. The Archbishop's Palace. Astorga.

120. Schools of the Holy Family. Barcelona.

121. The Miralles property. Barcelona.

122. The Botines House. León.

123. The Convent of the Teresians. Barcelona.

124. «El Capricho». Comillas (Santander).

125. The Calvet House. Barcelona.

126. The Batlló House. Barcelona.

127. The Güell Park. Barcelona.

128. The Sagrada Familia. Barcelona.

129. The Vicens House. Barcelona.

130. The Güell Palace. Barcelona.

131. Bellesguard. Barcelona.

132. Pavilions in the Güell Park. Barcelona.

57. Détail du vestibule de la Maison Batlló.

58. Détail de la terrasse de la Maison Batlló.

59 et 60. Détail de l'attique et escalier. Maison Batlló.

61. Formes décoratives. Terrasse Maison Batlló.

62 à 69. Collage céramique des bancs du Parc Güell.

70 à 77. Plafonds décoratifs réalisés avec des déchets de céramique (trencadís). Bancs du Parc Güell.

78 à 81. Détails du toit et faîtes des pavillons du Parc Güell.

82. Vue générale de la place du Parc Güell.

83 à 89. Fantaisie chromatique orientaliste. Parc Güell et Maison Batlló.

90 à 95. Détails de structures en pierre, de caractère primitif marqué, du Parc Güell.

96. Détail d'une grille dessinée par Gaudí. Parc Güell.

97 à 102. Détails du Musée Gaudí. Oeuvre de Berenguer, l'un des collaborateurs de Gaudí. Situé dans le Parc Güell.

103. Maison Milá. Détail de la porte d'entrée.

104 et 105. Aspects extérieurs de la Maison Milá.

106. Détail de la terrasse de la Maison Milá, avec au fond les tours de la Sagrada Familia.

107 à 115. Cheminées et tuyaux de ventilation de la Maison Milá.

116. Chapelle de la Colonie Güell. Santa Coloma de Cervelló.

117. Pavillons Güell, Pedralbes. Barcelona.

118. Maison Milá, «La Pedrera». Barcelona.

119. Palais épiscopal. Astorga.

120. Ecoles de la Sagrada Familia. Barcelona.

121. Propriété Miralles. Barcelona.

122. Maison Botines. Léon.

123. Couvent Thérésien. Barcelone.

124. «El Capricho», «Le Caprice». Comillas (Santander).

125. Maison Calvet. Barcelona.

126. Maison Batlló. Barcelona.

127. Parc Güell. Barcelona.

128. Sagrada Familia. Barcelona.

129. Maison Vicens. Barcelona.

130. Palais Güell. Barcelona.

131. Bellesguard. Barcelona.

132. Pavillons du Parc Güell. Barcelona.

57. Detail des Foyers vom Haus Batlló.

58. Detail des Daches von Haus Batlló.

59 und 60. Detail des Dachgeschosses und der Treppe von Haus Batlló.

61. Dekorative Formen. Dach des Hauses Batlló.

62 bis 69. Keramische «Collage» auf den Bänken des Parks Güell.

70 bis 77. Dekorative Einlagen aus keramischen Abfallprodukten (trencadís). Bänke im Park Güell.

78 bis 81. Details des Daches und der Zinnen der Pavillons im Park Güell.

82. Gesamtansicht des Hauptplatzes des Parks Güell.

83 bis 89. Chromatische Phantasien mit orientalischer Tendenz. Park Güell und Haus Batlló.

90 bis 95. Details von Steinstrukturen mit auffällig primitivem Charakter im Park Güell.

96. Detail eines von Gaudí entworfenen Gitters. Park Güell.

97 bis 102. Details des Gaudí-Museums, das von Berenguer, einem der Mitarbeiter Gaudís, erbaut wurde und im Park Güell gelegen ist.

103. Haus Milá. Detail der Eingangstür.

104 und 105. Aussenansichten des Hauses Milá.

106. Detail des Daches von Haus Milá; im Hintergrund die Türne der Sagrada Familia.

107 bis 115. Kamine und Entlüftungsschlote des Hauses Milá.

116. Kapelle der Kolonie Güell. Santa Coloma de Cervelló.

117. Pavillons Güell, Pedralbes. Barcelona.

118. Haus Milá, «La Pedrera». Barcelona.

119. Bischöflicher Palast. Astorga.

120. Schulgebäude der Sagrada Familia. Barcelona.

121. Besitz Miralles. Barcelona.

122. Hauss Botines. León.

123. Theresienkonvent. Barcelona.

124. «El Capricho». Comillas (Santander).

125. Haus Calvet. Barcelona.

126. Haus Batlló. Barcelona.

127. Park Güell. Barcelona.

128. Sagrada Familia. Barcelona.

129. Haus Vicens. Barcelona.

130. Palast Güell. Barcelona.

131. Bellesguard. Barcelona.

132. Pavillons der Parks Güell. Barcelona.